Zwischen
Freiheit und Dressur

Zwischen Freiheit und Dressur

Erste Schritte der Freiheitsdressur

von Angelika Schmelzer

CADMOS
PFERDEBÜCHER

Copyright © 2001 by Cadmos Verlag GmbH, Lüneburg
Gestaltung: Ravenstein Brain Pool, Völkersen
Titelfoto und Innenfotos: Angelika Schmelzer
Druck: Westermann Druck, Zwickau
Alle Rechte vorbehalten.

Printed in Germany.

ISBN 3-86127-524-4

Inhalt

IV

V

VI

VII

VIII

IX

I Versuch einer Definition

Freiheitsdressur - für die einen ist diese Ausbildungsmethode schlicht das Maß aller Dinge, für die anderen dagegen abgehobener Schwachsinn, der von selbstverliebten Gurus einzig zur eige-

Freiheitsdressur: Kein Allheilmittel, aber eine Bereicherung des gemeinsamen Alltags von Reiter und Pferd.

nen Profilierung verbreitet wird und jeder sachlichen Grundlage entbehrt. Die Meinung geht damit quasi von „allein selig machend" bis zu „dummdreist" - fast hat man den Eindruck, die Frage nach dem Sinn oder Unsinn der Freiheitsdressur spalte die Reiterwelt in zwei unvereinbare Lager.

Die meist sehr emotionalen Reaktionen der reitenden Öffentlichkeit auf den Trend zur Freiheitsdressur lassen sich wohl auch daraus erklären, dass viele Reiter und Pferdefreunde sie nicht unvoreingenommen betrachten, sondern meist im Zusammenhang mit der Lehre bestimmter Vertreter dieser Methode wahrnehmen. Unter diesen nun befinden sich einige bewundernswerte Ausbilder mit echtem, bodenständigem Pferdeverstand, aber eben auch manche windige, überwiegend mit Selbstverherrlichung befasste Geschäftemacher. Diese Gurus haben nun die Freiheitsdressur gründlich in Verruf gebracht: Überfrachtet mit einem Beiwerk wenig fundierter Theorien, kaum nachvollziehbar durch äußerst subjektive Interpretationen und abgewertet durch aufdringliche Eigenwerbung ist es eigentlich meist nicht die Methode selbst, die abgelehnt wird, sondern das ganze übertriebene Drumherum. Das sollte man aber schön auseinander dividieren, will man nicht das sprichwörtliche Kind mit dem Bade ausschütten! Und das wäre doch schade, denn die Freiheitsdressur kann, auf ihre Grundlagen reduziert und von überflüssigem Schnickschnack befreit, Reiter und Pferd als wertvolle Ergänzung der Ausbildung dienen und den Alltag beider Partner bereichern.

Vom Schnickschnack befreit

Falls Sie bereits in Theorie oder Praxis auf die eine oder andere Weise Bekanntschaft mit der Freiheitsdressur gemacht haben sollten, ihr aufgrund dieser Erfahrungen grundsätzlich ablehnend oder aber unangemessen positiv gegenüberstehen - könnten Sie das alles erst einmal hintanstellen? Als hinderlich erweisen sich übertriebene Erwartungshaltungen ebenso wie pauschale Ablehnungen, beides vorgefasste Meinungen, die den Blick für die Realität trüben. Fangen wir besser ganz von vorne an und sehen nach, was sich hinter diesem eigentlich nichts sagenden Begriff in Wirklichkeit verbirgt, um uns einen praxisnahen, realitätsbezogenen Eindruck von den Möglichkeiten und Grenzen dieser Ausbildungsmethode zu verschaffen.

Bei näherer Betrachtung mag man sich zunächst an der scheinbar widersprüchlichen Kombination von „Freiheit" und „Dressur" stoßen - hier liegt doch offensichtlich ein Fehler vor, denn

wie sollten sich diese unvereinbaren Begriffe zu einem sinnvollen Ganzen vereinen? Wer dressiert wird, ist sicher nicht frei, und wer frei ist, hat mit Dressur nichts im Sinn, oder?

Schon hinter dem Begriff „Dressur" verbergen sich mehrere Interpretationsmöglichkeiten: Darunter versteht man bekanntlich sowohl die Arbeit des Pferdes unter dem Sattel im Sinne des modernen Dressursports als auch zirzensische Lektionen oder Showkunststücke, im weiteren Sinne aber wird die gesamte Gymnastizierung des Pferdes ebenfalls als Dressur bezeichnet.

Der Begriff „Freiheit" kann sowohl absolut als auch relativiert gebraucht werden, denn „frei" sind wir immer nur in einem bestimmten Kontext: Nach der Gefängnisstrafe ist der Missetäter nun wieder frei, nach der Flohbehandlung der Hund frei von Untermietern, endlich ist der Geschäftsmann schuldenfrei, das Gesicht dank moderner Schönheitschirurgie faltenfrei. Vollständige, absolute Freiheit - ein unvorstellbarer Zustand, denn wir unterliegen immer Zwängen, denen wir uns nicht entziehen können, dem Zwang zur Aufnahme von Nahrung oder Wasser etwa.

Ähnlich ist auch die Freiheit beim Training eines Pferdes im Sinne der Freiheitsdressur beschaffen: Frei von Sattel und Trense, frei von einer direkten Verbindung mit dem Menschen, verrichtet es trotzdem in einem eng begrenzten Raum - nämlich einem Longierzirkel oder Round Pen - seine Arbeit nach dem Willen des Menschen. Und mit „Dressur" ist in diesem Zusammenhang selbstverständlich nicht die bloße Abrichtung im Sinne einer Pudeldressur gemeint, sondern eine Form von Arbeit, die vor allem die Feinabstimmung zwischen Zwei- und Vierbeiner verbessert, dabei aber das Pferd auch effektiv gymnastizierend arbeitet.

Bei der Freiheitsdressur wird also in der relativen Freiheit des Longierzirkels eine bestimmte Form von Training ausgeübt, bei der das Pferd weitgehend frei von Ausrüstungsgegenständen agiert und der Ausbilder ganz unterschiedliche Prioritäten setzen kann.

Freiheitsdressur - zum Beispiel

So fallen etwa die folgenden, aber auch andere Formen von Ausbildung alle unter den Oberbegriff „Freiheitsdressur":

• Die frei laufende Gruppe schneeweißer Hengste, die prächtig herausgeputzt und wie von Zauberhand geführt zur Musik der Zirkuskapelle in vollendetem Gleichmaß trabt, galoppiert, hält, wendet, mit den Vorderhufen auf einem Podest steht, Levaden oder andere Elemente der Hohen Schule zeigt - eine sehr weit entwickelte Form der Freiheitsdressur. Oft sind die Pferde dieser sehr anspruchsvollen Schaunummern zwar mit Gurten, Zaumzeug und Ausbindern ausgerüstet, doch sie sind „frei", da keine direkte Verbindung zwischen ihnen und ihrem Ausbilder besteht.

• Das Wildpferd, das von seinem Trainer im Round Pen Runde um Runde

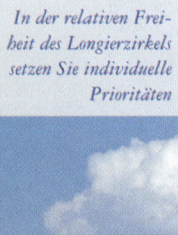

In der relativen Freiheit des Longierzirkels setzen Sie individuelle Prioritäten

Universelle Sprache: Clarissa droht „King" auf Pferdeart mit der Kehrseite - und der Vierbeiner lenkt ein

getrieben wird, das die ganze Angst des Herdentieres Pferd vor dem Verlassensein erfährt, bevor es sich freiwillig dem Menschen zuwendet und ihn als seinen Chef, aber auch als Freund akzeptiert, wird durch diese Form der Freiheitsdressur im Schnellverfahren quasi gezähmt. Doch auch hier ist die Freiheit nur eine scheinbare, denn schließlich wird auf den Vierbeiner ein erheblicher psychischer Druck ausgeübt. Nebenbei: Der im Zusammenhang mit dieser Form von Ausbildung gerne bemühte Begriff der „Gewaltfreiheit" ist deshalb auch reine Augenwischerei.

• Das aggressive Problempferd, dem im Longierzirkel seine Grenzen aufgezeigt werden, indem sein Ausbilder es so behandelt, wie ein Herdenboss mit einem ihm unterlegenen, aufmüpfigen Artgenossen verfahren würde. Der Vierbeiner wird getrieben, muss stoppen, still stehen oder wenden, wird bei etwaigen Provokationen seinerseits streng rückwärts gerichtet, eben auf Pferdeart an seinen Platz verwiesen. Meist trägt der Vierbeiner hierbei keine Ausrüstung, ist weder durch Longe noch Zügel mit dem Ausbilder verbunden, doch trotzdem nicht frei im eigentlichen Sinne - weglaufen geht nicht!

Typisch Freiheitsdressur

Drei Beispiele, drei Spielarten der Freiheitsdressur. Gemeinsam sind diesen wie auch anderen Formen dieser Ausbildungsmethode ganz typische Aspekte, mit denen wir uns in den folgenden Kapiteln ausführlich beschäftigen wollen:

• Während die Hilfengebung bei der Arbeit unter dem Sattel oder an der Longe dem Pferd zunächst fremd ist, von ihm im Rahmen seiner Ausbildung erlernt werden muss, basiert die Kommunikation zwischen Pferd und Trainer im Rahmen der Freiheitsdressur auf dem natürlichen Verhalten von Pferd und Mensch. Alle seriösen Formen der Freiheitsdressur lassen sich deshalb aus den Erkenntnissen der modernen Verhaltensforschung ableiten.

• In der Regel nutzt der Ausbilder zur Freiheitsdressur eine runde, sicher eingezäunte Bahn und arbeitet sein Pferd überwiegend auf dem Zirkel. Dafür gibt es gute Gründe, die sich zum einen aus dem natürlichen Verhalten der Pferde, zum anderen aus den Erfordernissen der Methodik ableiten lassen. Ob man diese Bahn allerdings „Longierzirkel" oder „Round Pen" nennt, ist zweitrangig.

• Gerade die Beschränkung auf das unbedingt Notwendige und der Aufbau auf dem natürlichen Verhalten der Pferde machen es möglich, wirklich uneingeschränkt jedes Pferd, unabhängig von Rasse, Reitweise oder Ausbildungsstand, auf diese Weise zu arbei-

ten und erlauben auch die Korrektur von Problempferden im weitesten Sinne. Es handelt sich also bei den verschiedenen Spielarten der Freiheitsdressur um eine universelle Form von Ausbildung.

Dominanz? Ja, aber ...

Vor allem falls Sie bereits auf die eine oder andere Weise Bekanntschaft mit der Freiheitsdressur geschlossen haben sollten, warten Sie vermutlich ungeduldig darauf, dass hier endlich ein (vermeintlich) zentraler Begriff dieser Ausbildungsmethode Erwähnung findet: Das Dominanztraining.

Verzeihen Sie mir, aber mir schmeckt der Begriff der Dominanz allzu sehr nach Unterwerfung. Zwar soll Ihnen Ihr Pferd gehorchen, soll Sie als Chef anerkennen, Sie weder körperlich angreifen noch Ihre Autorität anderweitig dauernd in Frage stellen. Insofern müssen und sollen Sie Ihr Ross zwar „dominieren", doch ist dies nur die halbe Miete. Ihnen ist nämlich auch daran gelegen, mit Ihrem vierbeinigen Freund zu einer für beide Seiten nützlichen, ganz selbstverständlichen Übereinkunft zu kommen. Sie arbeiten darauf hin, Ihrem Pferd die Zusammenarbeit leicht zu machen, ihm Erfolgserlebnisse zu vermitteln, Sie möchten, dass es sich darauf freut, zusammen mit Ihnen wertvolle Erfahrungen zu machen - Sie streben nach Harmonie. Wäre Dominanz das Endziel Ihrer Arbeit oder hätte oberste Priorität, käme die Harmonie automatisch zu kurz, stimmen Sie mir da zu? Die Klärung des Rangverhältnisses ist deshalb zwar integraler Bestandteil der Freiheitsdressur, hat aber ausschließlich bei ausgesprochenen Problempferden und dies auch nur zu Beginn der Arbeit wirklich höchste Priorität. Die Freiheitsdressur deshalb auf ein reines Dominanztraining zu reduzieren, hieße, ihre vielen weiteren Möglichkeiten nicht zu erkennen und zu nutzen. Einigen wir uns darauf, dass im Rahmen der Freiheitsdressur die Klärung des Rangverhältnisses ein Teilziel darstellt, jedoch nur in Einzelfällen höchste Priorität hat, o.k.?

Sprechen Sie pferdisch? II

So weit, so gut: Immerhin wissen wir nun etwas genauer, was Freiheitsdressur nicht ist - nämlich die allein selig machende Trainingsmethode selbstverliebter Gurus - und haben eine Ahnung davon, wie sie durchgeführt wird - nämlich in einer runden, eingezäunten Bahn mit dem (fast immer) ohne Ausrüstung laufenden Pferd. Offen bleiben die Fragen nach dem „wie?" und vor allem nach dem „warum?", und die müssen natürlich zunächst geklärt werden, bevor wir in die Methodik einsteigen.

Erfolgreiche Kommunikation

Unser Vierbeiner wird frei laufend bewegt, wobei wir weitgehend auf Ausrüstung verzichten, schön und gut. Das setzt jedoch voraus, dass zwischen Mensch und Pferd irgendeine Form von Verständigung abläuft, mit der wir unsere Wünsche und Befehle auf eine dem Vierbeiner geläufige Art übermitteln und durchsetzen.

Wollen wir zwingend mindestens Gangart, Tempo und Richtung bestimmen, müssen wir unserem Pferd

1. natürlich sagen, was wir von ihm wollen, also unseren Wunsch so „formulieren", dass es ihn verstehen kann, und

2. ihm klarmachen, dass dieser Wunsch nicht den Charakter einer Bitte, sondern eines Befehls hat, es also gehorchen soll.

Beide Aspekte unserer Kommunikation mit dem Pferd ergänzen einander, beide Ebenen der Verständigung stehen gleichberechtigt nebeneinander. Erwarten wir Gehorsam, ohne unsere Wünsche verständlich auszudrücken, ist die Sache ebenso zum Scheitern verurteilt wie bei erfolgreicher Übermittlung unseres Wunsches, ohne ihn jedoch durchsetzen zu können. Aus diesem Grund ist die einseitige Konzentration auf den Aspekt des Dominanztrainings auch wenig hilfreich.

Trennen wir zunächst diese beiden Aspekte der Kommunikation willkürlich voneinander und betrachten sie einzeln. Um meinem Pferd verständlich zu machen, dass es anhalten, wenden, beschleunigen oder abbremsen soll, muss ich mich einer Sprache bedienen, die es möglichst auf Anhieb versteht. Selbstverständlich ist es auch möglich, zunächst einen gemeinsamen Wortschatz mehr oder weniger willkürlich gewählter Anweisungen zu erarbeiten, doch ist dies nicht nur zeitraubend und mühsam, sondern auch überflüssig: Warum sollten beide Partner eine neue Sprache erlernen, anstatt sich einer Form der Kommunikation zu bedienen, die ihnen bereits geläufig ist?

Typisch Mensch

Sehen wir uns genauer an, wie Pferde und Menschen sich innerartlich verständigen. Bei uns Zweibeinern spielt die Kommunikation über die Sprache die größte Rolle. Ob in schriftlicher Form, beim persönlichen Gespräch, fernmündlich oder durch moderne

Sie müssen Ihre Wünsche nicht nur verständlich übermitteln, sondern auch durchsetzen können.

Medien optisch unterstützt, wir verlassen uns schon lange Zeit auf diese Art der Verständigung, mit der sehr komplexe Botschaften übermittelt werden können. Wir verständigen uns mittels der Sprache nicht nur über aktuelle Geschehnisse, sondern auch über Vergangenheit, Zukunft oder abstrakte Inhalte. Die Möglichkeiten des gesprochenen oder geschriebenen Wortes erlauben es auch, sich aus der Realität zu lösen: Erfundene Geschichten, Lügen, metaphysische Gedankenspielereien setzen ein hohes Maß an Flexibilität und Variabilität des Kommunikationsmittels voraus. Und noch etwas: Die Fähigkeit, sich flüssig und gewählt auszudrücken, findet besondere Anerkennung. Wir messen den Status eines anderen Menschen oft daran, ob und wie deutlich er Dialekt spricht, wie eloquent er sich auszudrücken vermag, ob Grammatik und Orthographie stimmen - ein weiterer Beweis für die enorme Bedeutung der Sprache!

Neben dieser typisch menschlichen Art der Verständigung nutzen wir Zweibeiner weitere Möglichkeiten, Botschaften zu übermitteln, allerdings mit geringerer Häufigkeit oder Bedeutung. Mimik und Gestik, also Bewegungen von Gesicht, Händen und Armen (seltener auch von anderen Körperteilen) mit weitgehend festgelegter und allgemein bekannter Bedeutung übermitteln meist sprach- und kulturübergreifend zusätzliche Signale: Sie können entweder das gesprochene Wort unterstützen, bekräftigen oder als Ersatz für sprachliche Botschaften dienen, etwa bei der Verständigung zwischen Menschen ohne gemeinsame Sprache oder über größere Entfernungen.

Wo gelesen, geredet oder gestikuliert wird, ist jedem klar: Hier werden Botschaften ausgetauscht. Sender und Empfänger sind sich gleichermaßen sowohl über ihre Rolle als auch über den Inhalt der Signale klar, etwaige Missverständnisse einmal ausgeschlossen. Niemand redet oder liest automatisch und auch wenn wir uns manchmal nicht deutlich bewusst sind, ob, wann und wie wir Mimik und Gestik einsetzen - es sind immer willkürliche Vorgänge, keine automatischen Reaktionen. Anders als etwa muskuläre Reflexe oder die Herztätigkeit läuft unsere Kommunikation an der Oberfläche unseres Bewusstseins ab, kann jederzeit gesteuert werden.

Völlig unabhängig von diesem bewussten Austausch von Informationen geben wir aber zusätzlich ständig weitere Signale an unsere Umwelt ab, die wir nicht oder nur wenig im Griff haben. Körperhaltung, Körperspannung und die Art der Bewegung sagen viel über uns aus, ohne dass wir dies an uns selbst wahrnehmen oder beeinflussen. Andere Menschen können theoretisch diese Signale empfangen und interpretieren: Je nachdem, ob unser Gegenüber diese unbewussten Botschaften gut zu lesen versteht oder ihnen gegenüber eher „blind" ist, sprechen wir von guten oder schlechten Menschenkennern. Menschenkenntnis könnte man als die Fähigkeit definieren, hinter die Fassade des gesprochenen Wortes zu blicken. Wir spüren, wie jemand seine Unsicherheit durch ein betont großspuriges Auftreten zu übertünchen versucht, zweifeln an der Richtigkeit einer Aussage, obwohl unser Gegenüber ein absolutes Pokerface wahrt. Man bezeichnet diese Form der Kommunikation allgemein als Körpersprache, wobei dieser Begriff im weiteren Sinne Mimik und Gestik mit einschließt.

Pferde sind Meister der Körpersprache, wir Menschen sprechen bestenfalls gebrochen „pferdisch".

Die zunehmende Konzentration auf das gesprochene oder geschriebene Wort hat es mit sich gebracht, dass die Fähigkeit zum Empfang dieser nichtsprachlichen Signale an Bedeutung verlor, zunehmend verschüttet wurde und nun individuell in mehr oder weniger starker beziehungsweise schwacher Ausprägung vorhanden ist, aber auch - und dies ist für die Freiheitsdressur wichtig - wieder belebt und neu eingeübt werden kann.

Typisch Pferd

Ganz anders unsere Vierbeiner: Bei ihnen liegen die Prioritäten gerade entgegengesetzt. Sie sind so versiert im Erkennen und Werten unterschwelliger Körperbotschaften, dass sie übersinnliche Fähigkeiten zu haben scheinen - gemessen am stümperhaften

Bemühen von uns Zweibeinern. Was wir nur im Ansatz beherrschen und auch mit größtem Engagement nur unvollständig erlernen können, wurde ihnen schon in die Wiege gelegt. Ein Blick auf den Artgenossen reicht und schon wissen sie Bescheid über Alter, Geschlecht, Rang innerhalb der Gemeinschaft oder momentane Befindlichkeit. Zusätzlich erschließen sich ihnen sicherlich auch viele andere Informationen, die uns in dieser Form nicht zugänglich sind, die wir auch mit größter Erfahrung nicht wahrnehmen können. Selbst wenn einzelne, echte Pferdemenschen richtig gut „pferdisch" sprechen, müssen wir davon ausgehen, dass es eben immer eine Fremdsprache bleibt, die sich uns nie ganz erschließen wird.

Unsere Pferde senden also allein durch ihre Körperspannung, ihre Haltung, die Art ihrer Bewegung eine Menge Botschaften, die von Artgenossen, aber auch Artfremden erfasst werden können. Daneben nutzen sie Bewegungen mit fester Bedeutung, die bei sozialen Interaktionen deutlich werden, etwa das bekannte Anlegen der Ohren als drohende Abwehrgeste. Und während wir Menschen uns im Austausch mit anderen überwiegend auf die Möglichkeiten der Sprache verlassen, spielt diese Form der Unterhaltung in Pferdekreisen meist die kleinste Rolle. Klar, da wird gewiehert, geschnaubt, geblubbert oder gequiekt, doch werden dabei nur relativ einfache, kurze Botschaften ausgetauscht.

Und folgst du nicht willig ...
Zurück zur Verständigung im Rahmen der Freiheitsdressur. Ohne direkten oder indirekten Körperkontakt zum

Pferd fehlen uns die üblichen Möglichkeiten der Hilfengebung durch Zügelhände, Schenkel oder Gewicht, wir müssen also auf andere Formen der Kommunikation zurückgreifen. Dazu stehen uns theoretisch
• Lautäußerungen im Sinne der menschlichen Sprache oder entsprechend pferdetypischer „Worte",
• Mimik und Gestik sowie
• die Körpersprache im engeren Sinne zur Verfügung.
Mit Hilfe dieser Kommunikationswege ist es uns möglich, dem frei laufenden Pferd unsere Wünsche mitzuteilen.

Gute Reiter streben in erster Linie nicht nach Unterwerfung, sondern nach Harmonie.

Das Leben in der Herde bietet dem Einzelnen Schutz und Geborgenheit

Wie steht es jetzt um die Forcierung dieser Wünsche, um den Befehlscharakter unserer Anweisungen?

Wir Menschen erfüllen die Befehle, Anweisungen oder Wünsche anderer aus unterschiedlichen Gründen: Vielleicht sind wir Soldat und zum Gehorsam verpflichtet, vielleicht müssen wir den Anleitungen eines beruflich Höhergestellten Folge leisten, vielleicht kommen wir dem Wunsch eines geliebten Menschen gerne und völlig freiwillig nach oder gar zuvor. Angst vor körperlicher oder psychischer Gewalt ist ein sehr effektiver Motivator, dem wir im Alltag aber hoffentlich nur selten ausgesetzt sind, während der Liebe eine ebenso mächtige wie für beide Seiten beglückende Motivation entspringt.

Auch die durchzuführende Handlung selbst spielt in diesem Zusammenhang eine nicht zu unterschätzende Rolle: Ganz unabhängig von äußeren Zwängen entwickelt sich aus meinem persönlichen Empfinden bezüglich einer Handlung eine ganz individuelle Motivation. Langeweile,

Ekel oder Überdruss schwächen meine Handlungsbereitschaft, während mein Interesse, meine Freude oder mein steigendes Selbstbewusstsein die Motivation stärken. Wünschenswert aus menschlicher Sicht ist eine Motivation, bei der sowohl äußere als auch innere Faktoren eine hohe Handlungsbereitschaft bedingen.

Bei unseren Pferden liegen ähnliche Rahmenbedingungen vor. Auch sie sind in ein Netz sozialer Beziehungen eingebunden und auch ihre Motivation hängt von äußeren wie inneren Faktoren ab. Unsere Pferde bevorzugen als soziale Wesen das Leben in der Gesellschaft von Artgenossen, das durch eine feste Rangordnung eine Struktur erhält. Diese soziale Ordnung dient dem Wohl aller und verteilt Pflichten und Rechte gemäß den Fähigkeiten und Schwächen des Einzelnen. Ältere, erfahrene, körperlich starke und psychisch belastbare Pferde nehmen einen hohen Rang ein, der viele Rechte und ein großes Maß an Verantwortung mit sich bringt. Jüngere, unbedarfte, schwächliche Pferde stehen in der Rangordnung unten und genießen den Schutz der Gemeinschaft, sind aber auch dem Willen der über ihnen stehenden unterworfen.

Ranghohe Pferde genießen Vorrang bei der Futteraufnahme, beim Zutritt zur Wasserstelle oder bei der Wahl eines Ruheplatzes. Es steht ihnen außerdem zu, rangniedrige Artgenossen zu jeder Zeit und (für unsere Begriffe) völlig willkürlich zu vertreiben. Zu ihren Pflichten gehört die Führung der Herde bei der Wanderung und die Verteidigung bei drohender Gefahr. Im Zusammenhang mit den Methoden der Freiheitsdressur spielen insbesondere das Treiben und das Führen durch den Herdenboss eine besondere Rolle, wobei diese Privilegien niemals getrennt von den anderen Rechten und Pflichten betrachtet und in Anspruch genommen werden sollten.

Diese Rangordnung hat nicht den Charakter einer Hackordnung - nach oben buckeln, nach unten treten - sondern bringt Ruhe und Sicherheit in das gemeinsame Leben. Jeder weiß, wo er steht, jeder kann den anderen einschätzen. Hand- und fußgreifliche Auseinandersetzungen sind eher die Ausnahme als die Regel, meist werden Streitigkeiten geregelt, indem der Ranghöhere sich durch entsprechendes Auftreten, das so genannte Imponiergehabe, behauptet. Lediglich dann, wenn neue Mitglieder in die Herde aufgenommen werden, andere ausscheiden oder einzelne Pferde Ambitionen nach oben entwickeln beziehungsweise schwächer werden, kommt Unruhe in die Gemeinschaft, müssen die Ränge neu ausgemacht und im Einzelfall auch ausgefochten werden. Der ritualisierte Charakter dieser Kämpfe schränkt dabei die Gefahr ernsthafter Verletzungen stark ein und stellt sicher, dass der Unterlegene dem Konflikt entfliehen kann, ohne anschließend aus der Gemeinschaft ausgeschlossen zu werden.

So der Idealfall, der bei artgerechter Haltung auch bei unseren domestizierten Pferden beobachtet werden kann. Häufig sind bei Pferden aus nicht artgerechter Aufzucht oder Haltung Defizite hinsichtlich ihres sozialen Verhaltens oder ihrer Fähigkeit zur innerartlichen Kommunikation festzustellen. Das Leben in der Gemeinschaft

Hengste unter sich - die Rangordnung setzt auch dem größten Macho Grenzen.

ist unseren Pferden zwar in die Wiege gelegt worden, muss aber vor allem während der Kindheit und Jugend auch geübt werden, damit sich die soziale Intelligenz des Einzelnen entwickeln kann. Hat das Pferd dazu keine Gelegenheit, kann es Versäumtes später oft nicht oder nur unvollständig nachholen.

Ein freundlicher Chef

Der Mensch klinkt sich nun beim Umgang mit Pferden im Allgemeinen und bei der Freiheitsdressur im Besonderen in das soziale Gefüge der Herde ein und übernimmt die Rolle des Herdenführers. Damit kann er automatisch eines der mit der Führungsposition verbundenen Privilegien nutzen, um sein Pferd zu arbeiten: Der Mensch treibt, das Pferd weicht aus - allein auf diesem Grundprinzip baut die ganze Freiheitsdressur auf! Wer allerdings dieses Recht des Chefs für seine Zwecke nutzen möchte - was durchaus legitim und

auch im weitesten Sinnen natürlich, pferdegerecht ist - darf darüber seine Pflichten nicht vernachlässigen: Die verantwortliche Führung eines Pferdes beinhaltet weitaus mehr als die Durchsetzung der eigenen Wünsche.

Fassen wir zusammen:
Um ein Pferd im Rahmen der Freiheitsdressur erfolgreich zu arbeiten, müssen verständliche Signale auf eine Weise ausgetauscht werden, die den Charakter einer Anweisung hat. Anstatt auf der üblichen Hilfengebung über den direkten (zum Beispiel Gewichtshilfe) oder indirekten (zum Beispiel Longe) Kontakt zwischen Pferd und Mensch baut die Freiheitsdressur auf der Körpersprache (hier im weiteren Sinne, also inklusive Mimik und Gestik) auf, die unter den Pferden die am meisten genutzte Form der Kommunikation darstellt. Gleichzeitig etabliert sich der Mensch als seinem Pferd im Rang überlegen und verleiht seinen Signalen so den Charakter einer zwingenden Anweisung.

Es klappt nicht, wenn ...

Hieraus ergeben sich mehrere potenzielle Problempunkte, die einer sinnvollen und für beide Seiten effektiven Freiheitsdressur im Weg stehen können:

1. Durch Fehler in der Aufzucht und Haltung sind die kommunikativen Fähigkeiten und die soziale Intelligenz des Pferdes unterentwickelt, was eine erfolgreiche Verständigung erschwert oder gar unmöglich macht und den Ausbilder in Gefahr bringt, da dem Pferd dann auch die Unterordnung unter ein überlegenes Wesen fremd ist.

2. Der Mensch bringt die notwendige Sensibilität für eine nicht-sprachliche Verständigung nicht mit oder steht einer solchen ablehnend gegenüber.

3. Dem Menschen gelingt es, aus welchem Grund auch immer, nicht, sich seinem Pferd gegenüber als ranghöher durchzusetzen, worauf das Pferd seine Signale im besten Fall ignoriert und im schlimmsten Fall als Provokation ansieht.

Es sollte klar geworden sein, dass es sich bei der Freiheitsdressur keineswegs um eine Light- und Soft-Version sachgerechter Pferdeausbildung handelt, sondern um eine Methode, die ebenso viel Wissen und Erfahrung erfordert wie andere Ausbildungsformen.

Führungs-Persönlichkeit: Thomas ist Hengst „Gorgeous" ein freundlicher Chef.

III

Wie sag ich's meinem Pferde?

Die Pferdesprache lässt sich nicht in einem Wochenendkurs oder allein aus Büchern lernen, da braucht es Zeit und Erfahrung.

Nun wissen wir also, dass wir mit unseren Pferden eine Kommunikationsform gemein haben, die uns eine erfolgreiche Verständigung über die Grenzen der Art hinweg und ohne direkte Verbindung ermöglicht: die Körpersprache. Kommt zur erfolgreichen Übermittlung von Signalen der Befehlscharakter, den ein solches Signal durch den hohen Rang des Senders erhält, können wir damit unser Pferd im Sinne der Freiheitsdressur gelenkt arbeiten. Der Sender - das sind Sie oder ich - muss demnach nicht nur passiv wie aktiv die „Pferdesprache" beherrschen, sondern gleichzeitig den Rang eines Anführers der kleinen Zweierherde erfolgreich leben, und zwar sowohl im Zusammenhang mit der Freiheitsdressur als auch bei jedem anderen Umgang mit seinem Pferd. Beide Aspekte ergänzen einander; beide Fähigkeiten fallen uns Zweibeinern nicht einfach zu, sondern müssen mit der Zeit erarbeitet, verbessert und immer weiter verfeinert werden.

Wo ich bin,
kannst Du nicht sein

Pferdetypische Verhaltensweisen entstehen nicht zufällig, sind kaum individuellen Änderungen unterworfen und damit variabel, sondern gehören zum genetischen Inventar, das ebenso wie rein körperliche Merkmale von Generation zu Generation fast unverändert weitervererbt wird. Viele dieser Verhaltensweisen sind ritualisiert, verlaufen also nach einem stets gleichen Schema. Man könnte sagen, dass die sozialen Verhaltensweisen der Pferde nach bestimmten Spielregeln ablaufen, die das Zusammenleben, den Zusammenhalt der Herde ungemein erleichtern. Aber: Nur in seinem natürlichen Lebensumfeld, also innerhalb der Herde, ist unser Pferd wirklich ganz Pferd, nur hier wird es sich verhalten, wie es seiner Natur entspricht. Das über lange Jahre vereinsamte Boxenpferd wird sicherlich kein normales Verhalten zeigen und ist als Anschauungsobjekt gänzlich ungeeignet.

Das (Ver-)Treiben des rangniedrigen durch ein ranghohes Herdenmitglied gehört zu den wichtigsten Verhaltensweisen des sozialen Miteinanders unserer Vierbeiner und bildet gleichzeitig auch die Basis für jede Form der Freiheitsdressur. Grundsätzlich hat jedes Pferd das Recht, alle ihm untergebenen Kollegen zu jeder Zeit, ohne jede Einschränkung und ohne „vernünftigen Grund" zu vertreiben, der unterlegene Vierbeiner folgt dem Befehl zum Ausweichen meist ohne zu zögern. Dabei sind körperliche Kontakte nicht notwendig, der Impuls zum Ausweichen entsteht vielmehr automatisch beim Überschreiten der so genannten Individualdistanz. Diese Individualdistanz

lässt sich als unsichtbarer Raum rund um jedes Pferd vorstellen, der von rangniedrigen Artgenossen weder aktiv noch passiv ohne Aufforderung durchbrochen werden darf. Nähert sich ein ranghohes Pferd einem anderen, weicht dieses deshalb lange vor dem körperlichen Kontakt aus. Tut es dies nicht, wird der ranghohe Kollege seine Rechte durch entsprechende Signale durchsetzen. Dazu werden meist optisch gut sichtbare Bewegungen eingesetzt, mit denen die Distanz zwischen den Pferden verkürzt wird, etwa durch Vorstrecken des Halses, während gleichzeitig weitere Signale - beispielsweise angelegte Ohren - drohend wirken. „Wenn du nicht sofort Leine ziehst, raucht es!" könnte man dies übersetzen. Vielleicht formulieren Sie dieses

Lusitanohengst „Ebro" lässt seinen Chef ganz selbstverständlich vorangehen.

Vier Hengste und ein Wallach haben nichts als Unsinn im Kopf: Hier wird gespielt, nicht gestritten, dank geklärter Rangordnung.

Prinzip als griffiges Motto: „Wo ich bin, kannst du nicht sein" und bestehen ab sofort Ihrem Pferd gegenüber darauf, dass es Ihr Privileg des Ranghöheren anerkennt. Nicht nur im Rahmen der Freiheitsdressur, wo es die Grundlage Ihrer Arbeit bildet, sondern immer und überall bitte! Das bedeutet für Sie und Ihr Pferd beispielsweise:

• Ihr Pferd weicht aus, wenn Sie entschlossen auf es zugehen,

• Ihr Pferd schubbert sich nicht an Ihnen,

• Ihr Pferd rennt Sie nicht über den Haufen, wenn die Futterschüssel lockt,

• Ihr Pferd lässt Sie automatisch und in jeder Situation vorangehen.

Sie wirken „abstoßend"

Übertragen wir das Verhältnis ranghöheres/rangniedrigeres Pferd auf unsere Arbeit im Rahmen der Freiheitsdressur, so beruht das Grundprinzip darauf, dass wir dabei zum einen unser Pferd arbeiten, indem wir es im weitesten Sinne treiben, zum anderen beanspruchen wir dabei auch eine undurchdringliche Sicherheitszone - eben jene Individualdistanz - die nicht nur unserem Schutz dient, sondern auch als Hilfsmittel beim Treiben eingesetzt wird. Nähern wir uns dem Pferd, so muss dieses spätestens in dem Moment ausweichen, in dem es unsere Individualdistanz berührt - es weicht aus, indem es von unserer unsichtbaren Schutzzone abgestoßen wird. Finden Sie sich damit ab - Sie wirken „abstoßend" auf Ihr Pferd, sobald Sie einen höheren Rang einnehmen. Allerdings hat dies absolut keinen Einfluss auf Ihr freundschaftliches Verhältnis zu Ihrem vierbeinigen Partner, ganz im Gegenteil. Pferde unterschiedlichen Rangs knüpfen oft besonders enge Freundschaften, da bei geklärten Hierarchien kaum mehr ernsthafte Auseinandersetzungen auftreten.

Treiben ist nicht gleich Treiben

Bei der Freiheitsdressur bestimmen Sie grundsätzlich die Richtung und Geschwindigkeit, in der sich Ihr Pferd bewegt; auf das Wesentliche beschränkt, benötigen Sie also drei Grundsignale:

1. Sie müssen Ihr Pferd antreiben können, es aus dem Halten zum Antreten veranlassen oder es in eine schnellere Gangart beschleunigen. Sie benötigen dazu ein vorwärts treibendes Signal.

2. Sie müssen Ihrem Pferd sagen können, dass es langsamer werden, anhalten oder still stehen bleiben soll. Dazu brauchen Sie ein bremsendes, verhaltendes Signal.

3. Schließlich möchten Sie Ihr Pferd wenden, um die Hand zu wechseln. Da Ihr Pferd dabei auch seitwärts treten muss, benötigen Sie ein seitwärts treibendes Signal.

Weiter vereinfacht, lassen sich diese drei Formen der Beeinflussung auf ein einziges Signal reduzieren: Eben das bereits erwähnte Treiben oder Vertreiben des rangniedrigeren durch ein ranghöheres Herdenmitglied. Genau genommen lässt sich nämlich das zur Reduktion der Geschwindigkeit nötige bremsende, verhaltende Signal als ein von vorne kommendes Treiben verstehen, das gegen die aktuelle Laufrichtung des Pferdes gerichtet ist. Ähnlich die seitwärts treibende Wirkung, die, gegen den Rumpf des Pferdes gerichtet, das Pferd von sich weg und damit seitwärts tretend treibt. Anders gesagt:

Treiben Sie von hinten, wirken Sie beschleunigend auf Ihr Pferd ein; treiben Sie das laufende Pferd von vorne, setzen Sie seine Geschwindigkeit herab und treiben Sie von der Seite, veranlassen Sie eine Biegung oder Wendung.

Ausgehend von den unterschiedlichen Reaktionen, zu denen Ihre treibende Einwirkung je nach Richtung bei Ihrem Pferd führt, lassen sich verschiedene Zonen ausmachen. Treibende Signale, die
• von hinten kommend gegen den Bereich der Kruppe oder dahinter gerichtet sind, wirken vorwärts treibend, beschleunigend;

Während Sie, von hinten kommend, Ihr Pferd vorwärts treiben, ...

• von innen kommend gegen die Rumpfmitte oder die Schulter gelenkt werden, veranlassen das Pferd dazu, seitlich auszuweichen;

wirkt Ihr Einfluss im Rumpfbereich seitwärts treibend und ...

von vorne kommend verwahrend auf Ihr Pferd.

• von vorne kommend die Laufrichtung des Pferdes versperren, wirken verlangsamend.

Die Art der treibenden Wirkung des Menschen auf das Pferd hängt also von der relativen Position beider Lebewesen zueinander und zur Begrenzung ab. Bei der Freiheitsdressur im Round Pen wird sich das Pferd überwiegend auf der Zirkellinie entlang der Bande bewegen. Halten wir uns dabei in der Zirkelmitte auf und verhalten uns still, befinden wir uns quasi in einer Art neutraler Zone, in der wir nicht auf das Pferd einwirken. Das Pferd wird nicht beeinflusst und deshalb Richtung und Geschwindigkeit nicht ändern. Bewegen wir uns von der Mitte weg auf die Zirkellinie zu und in die Bewegungsrichtung des Pferdes hinein, wirken wir hemmend auf die Vorwärtsbewegung: Je nachdem, wie intensiv oder verhalten diese Bewegung ausfällt, wird das Pferd langsamer, stoppt oder wendet gar um. Verlagern wir unseren Standpunkt dagegen in Richtung Zir-

kellinie hinter das Pferd, so wirken wir vorwärts treibend, unser Pferd wird schneller. Egal, aus welcher Richtung wir kommen und wie wir dabei den Körper des Pferdes ansteuern, wir treiben unseren Vierbeiner immer von uns weg in die entgegengesetzte Richtung. Nutzen wir außerdem die begrenzende Wirkung der Bande und den Freiraum des Zirkelinneren, ergeben sich durch geschickte Kombination von treibender Wirkung durch den Menschen und Ausnutzung der Einwirkung von Bande und Raum viele Möglichkeiten, jedes Pferd abwechslungsreich zu arbeiten.

Mit Gefühl, bitte

Mit der Zeit wird der Trainer aus den Reaktionen des Pferdes dessen individuelle Empfindlichkeit seinen Signalen gegenüber ersehen und seine Hilfengebung entsprechend variieren. Er sollte darauf hinarbeiten, ein Repertoire von differenzierter Signalgebung zu erarbeiten, mit denen entsprechende Reaktionen des Pferdes abgefragt werden können: Energisches Treiben - energisches Antreten, Anhalten oder Beschleunigen; verhaltenes Treiben - leichtes Zurücknehmen des Tempos, leichtes Ausweichen, sanftes Durchparieren. Vermeiden Sie es, Ihr Pferd durch überharte Hilfen zu desensibilisieren, das Resultat ist früher oder später ein faules, unwilliges oder bockiges Ross.

Die halbe Miete

Treiben allein genügt nicht: Wichtig ist, dass Sie stets eine adäquate Reaktion Ihres Pferdes einfordern und notfalls durchsetzen können, um sich von Anfang an als ranghöher zu etablieren. Die Verknüpfung von treibender Wirkung und Rang wird schnell zum Teufelskreis, wenn der Mensch keine Beachtung dieses Privilegs einfordert: Das Pferd unterschreitet die Individualdistanz oder beachtet treibende Hilfen nicht angemessen, der Mensch reagiert auf diese Provokation nicht oder nicht adäquat, das Pferd schließt daraus messerscharf, dass der Mensch ihm im Rang unterstellt ist, und nimmt sich weitere Frechheiten heraus, die der Zweibeiner wieder nicht ausreichend beachtet ...

Besonders bei einseitiger Fixierung auf das Dominanztraining im Rahmen der Freiheitsdressur kann der Schuss allerdings schnell nach hinten losgehen. Natürlich etablieren Sie sich bei richtiger Durchführung der Freiheitsdressur auch als Ihrem Pferd im Rang höher gestellt, doch sind bei bestimmten Mensch-Pferd-Kombinationen die Probleme bereits vorprogrammiert. Es reicht eben nicht aus, ganz bestimmte, angelernte Bewegungen zum richtigen Zeitpunkt durchzuführen, um damit Ihrem Pferd gegenüber Ihren überlegenen Rang zu demonstrieren, denn dies kann zu widersprüchlichen Signalen führen, die Ihr Pferd bestenfalls verwirren und schlimmstenfalls aggressiv

Treiben Sie energisch, können Sie ein energisches Antreten erwarten.

Auf diese Provokation von Hengst „Fidelio" muss Bianca sofort angemessen reagieren, sonst haben die beiden ein Problem.

machen. Vielmehr sollten Sie versuchen, nur das durchzusetzen, was Ihrem Gefühl entspricht, wo Sie wirklich dahinter stehen. Sie müssen sich bewusst machen, dass Sie ständig Signale aussenden, die Ihnen nicht oder kaum bewusst sind, sich Ihrer Kontrolle entziehen und die, in Kombination mit eben diesen angelernten Körperbewegungen, eine nicht stimmige Botschaft an Ihr Pferd aussenden können. Als vorsichtiger oder ängstlicher Mensch sollten Sie deshalb nicht versuchen, Ihr Pferd durch nassforsches Auftreten zu beeindrucken, das wird nicht funktionieren. Kein einigermaßen intelligentes Pferd lässt sich körpersprachlich ein X für ein U vormachen: Gehen Sie in bester, treibender Absicht auf die Kruppe Ihres Pferdes zu, gebärden sich ranghoch und haben dabei - Verzeihung - die Hosen voll, fliegen Ihnen im schlimmsten Fall die Hinterhufe Ihres lieben Rosses um die Ohren.

Es spricht allerdings nichts dagegen, sich im Rahmen der Freiheitsdressur ein sicheres Auftreten anzugewöhnen und die eigene Wirkung auf den Vierbeiner zu erproben. Nur dann bitte

nicht mit dem Problempferd, das Sie letzthin schon auf der Weide über den Haufen gerannt hat, oder dem Junghengst, der Ihnen meist auf zwei Beinen entgegenkommt. Solche Pferde können vom eigenen Besitzer meist nicht korrigiert werden, auch und schon gar nicht durch die Freiheitsdressur. Allen anderen aber eröffnet die Freiheitsdressur neue Wege zu einer gemeinsamen Arbeit, die für beide Seiten einzigartige Erfahrungen bereithält.

Checkliste: Was Sie nie tun sollten!

• Weichen Sie nie vor Ihrem Pferd zurück, es deutet dies als Unterlegenheitsgeste!

• Erarbeiten Sie keine potenziell gefährlichen Übungen mit aggressiven Pferden oder solchen, die dauernd bestrebt sind, ihren Rang zu verbessern!

• Arbeiten Sie nie mit einem Pferd, vor dem Sie Angst haben!

• Erarbeiten Sie nie Übungen, die Ihre Zuschauer beeindrucken sollen, Ihr Pferd aber überfordern!

ABC der Hilfen IV

Jetzt wird es an der Zeit, sich ein bisschen ausführlicher mit den Details der Hilfengebung zu beschäftigen. Treiben möchten Sie Ihr Pferd, es bei Unterschreiten der Individualdistanz in jede Richtung ausweichen lassen, schön und gut, doch wie sieht dies konkret aus? Zwar sind wir uns darüber klar, mit der Körpersprache ein Repertoire an für beide Seiten gleichermaßen verständlichen Signalen abrufen zu können, doch können und sollten wir diese Signale ganz nach dem individuellen Bedarf von Pferd und Mensch verstärken und unterstützen, indem wir weitere Möglichkeiten der Verständigung nutzen.

Lasst Körper sprechen

Wie wir bereits wissen, kann der treibende Einfluss des Ranghöheren ohne direkten Kontakt ausgeübt werden. Pferde sind Meister im „so tun als ob", sie deuten Bewegungen oft nur an und der Sozialpartner liest daraus die Absicht (die Intention) ab. Mit Hilfe dieser Intentionsbewegungen gelingt es uns im besten Falle, von der Zirkelmitte aus agierend unser Pferd unter Kontrolle zu halten. Allerdings sollten wir unsere Hilfengebung grundsätzlich in ihrer Intensität variabel halten, also fallweise recht aktiv agieren oder uns sehr zurückhaltend bewegen.

Treibende Hilfen können hinsichtlich ihrer Stärke in drei große Gruppen unterteilt werden:
• Der ganze Körper des Menschen kommt zum Einsatz,

Huch! Isländerhengst „Halastjarni" ist der Trainerin zu sehr auf den Pelz gerückt.

• der Mensch vergrößert seinen Einflussbereich mit Hilfe einer Gerte oder Peitsche und beschränkt seine Hilfengebung größtenteils auf Bewegungen der Arme oder

• der Mensch lenkt sein Pferd allein durch Handzeichen und verlässt seinen Platz in der Zirkelmitte nicht.

Sehr gut aufeinander eingespielten Paaren reichen kaum sichtbare Zeichen, etwa ein Erheben der Hand gegen die Laufrichtung des Pferdes zum Halten, ein Anheben der anderen Hand zum Antreten oder ein beidhändiges Signal (eine Hand versperrt den Weg, die andere deutet in die Gegenrichtung) zum Wenden. Diese minimalistische Hilfengebung setzt nicht nur ein sehr sensibel mitarbeitendes Pferd, sondern auch einen konzentriert agierenden, seinen Körper perfekt beherrschenden Menschen voraus. Ungeübte oder eher unaufmerksame, wenig kooperative Pferde müssen mit auf-

wendigerer Hilfengebung gelenkt werden, indem der Mensch fallweise ein paar Schritte in die Laufrichtung geht oder energisch auf die Hinterhand zuläuft. Bei sehr triebigen Pferden, Rössern mit bekannt locker sitzender Hinterhand oder ausgesprochen flink agierenden Trotzköpfen empfiehlt es sich, eine lange Gerte zu Hilfe zu nehmen, um den Einflussbereich des eigenen Körpers zu erweitern, ohne sich dabei in Gefahr zu bringen. In diesem Fall versperrt die Longierpeitsche den Weg oder fordert, die Kruppe touchierend, vermehrten Fleiß.

Achten Sie darauf, nicht steif wie ein Zinnsoldat in der Gegend herumzustehen und nur die Arme zu bewegen, falls Ihr Pferd eher von gemütlicher Wesensart ist. Sie werden bald feststellen, dass sich Ihre Körperspannung oder eben das Fehlen derselben auf Ihr Pferd überträgt: Faule Pferde müssen ermuntert werden, indem der Mensch

Mit der Longierpeitsche hat auch der winzige Wusel keine Chance, sich dem Einflussbereich des Menschen zu entziehen.

mit hoher Körperspannung sehr energisch vorgeht und sich eher explosionsartig bewegt; ängstliche oder übermäßig temperamentvolle werden ruhiger, wenn Sie bewusst alle Anspannung aus Ihrem Körper verbannen und sich eher zurückhaltend bewegen. Kontrollieren Sie sich selbst: Reagiert Ihr Pferd nicht angemessen (also zu wenig oder zu viel) auf Ihre Hilfen, stimmt Ihre eigene Körperhaltung meist nicht mit dem Maß an Reaktion überein, das Sie erwarten.

Teleskoparme

Wie bereits erwähnt, können Sie Ihren Einflussbereich erheblich erweitern, wenn Sie eine Longierpeitsche, Fahrpeitsche oder Handarbeitspeitsche zu Hilfe nehmen. Diese können Sie sehr vielseitig einsetzen:

• Treibende Hilfen Ihrerseits kommen näher ans Pferd und können so nachdrücklicher Gehorsam fordern;
• durch das gezielte Touchieren bestimmter Körperregionen des Pferdes können Sie dessen Gangmechanik beeinflussen und nicht zuletzt
• halten Sie sich auch etwaige Frechdachse effektiv vom Leib.
Ihren treibenden Einfluss erweitern Sie mit dem Schlag der Peitsche, der Ihrem Pferd sichtbar den Weg versperrt (verwahrend, bremsend) oder seine Kruppe berührt beziehungsweise hinter der Hinterhand schnalzt (vorwärts treibend). Hereindrängende Pferde werden an der Schulter touchiert und so aufgefordert, auf den Hufschlag zurückzukehren. Wenig untertretende Pferde können Sie durch eine gezielte Berührung im Bereich der Sprunggelenke zur vermehrten Lastaufnahme mit der Hinterhand auffordern.

Grundsätzlich wird die Peitsche nicht strafend eingesetzt, doch gibt es, wie immer, keine Regel ohne Ausnahme: Dem ernsthaft angreifenden Raufbold, dem aggressiv Ihren Rang in Frage stellenden Frechdachs dürfen und müssen Sie sofort und mit Nachdruck seine Grenzen aufzeigen, notfalls eben auch durch einen (!) gezielten Schlag. Trauen Sie einem fremden Pferd nicht so recht über den Weg, sollten Sie zusätzlich zur langen Longierpeitsche eine kurze Dressurgerte mit in die Manege nehmen, um das wilde Tier zu zähmen. Ein plötzlich angreifendes Pferd bringen Sie mit einer langen Peitsche nämlich nicht schnell genug zur Einsicht, da es den Abstand zu Ihnen zu rasch verkürzt; eine Dressurgerte dagegen hält Ihnen das Raubtier auch auf kürzere Distanz vom Leib. Es versteht sich allerdings von selbst, dass Sie als Anfänger oder unsicherer, ängstlicher Mensch von solchen Hartriegeln eh die Finger lassen ...

Laut und stark

„Die Stimme ist der Sporn des Reiters" hat es ein bedeutender Reitersmann einmal treffend formuliert. Zu Unrecht gilt heute der Einsatz der Stimme als unfein, vielmehr kann sie die Hilfengebung beim Reiten wie bei der Bodenarbeit gleichermaßen effektiv wie schonend unterstützen. Es bieten sich vier Einsatzmöglichkeiten an, Töne lautstark ans Pferd zu bringen:
• Verknüpfen Sie bestimmte Forderungen an Ihr Pferd mit immer denselben Befehlen, so können Sie mit der Zeit die Intensität Ihrer Hilfengebung mehr und mehr herunterfahren und Ihr Pferd schließlich ausschließlich oder überwiegend durch die Stimme lenken. Achten Sie darauf, Ihr Pferd stets deutlich anzusprechen und immer dieselben Worte zu benutzen. Reagiert es nicht, machen Sie ihm keine langatmigen Vorhaltungen, sondern wiederholen Sie den Befehl mit mehr Nach-

druck und unterstützen Sie ihn durch weitere Hilfen Ihres Körper oder der Longierpeitsche. Verwenden Sie für unterschiedliche Befehle immer Worte, die Ihr Pferd deutlich voneinander unterscheiden kann: „Komm, Schritt!!!", „Terrrrab!", „Auf, Galopppp!", „Und, Haaaalt", „Laaangsaaamer" und so weiter.
• Unterstützen Sie Ihre Befehle durch die Wahl einer geeigneten Tonlage. Helle, knackig vorgebrachte Befehle muntern auf und treiben vorwärts, mit dunkler, ruhiger Stimme beruhigen und verlangsamen Sie Ihr Pferd.
• Ihre Stimme kann das Tempo, die Frequenz einer Gangart (das Gangmaß) beeinflussen, indem sie repetitiv den Takt angibt. Unterstützen, beschleunigen oder verlangsamen Sie den Takt vor allem im Trab und Galopp, indem Sie im erwünschten Takt bestimmte Worte immer wiederholen: „Komm, komm, komm..." oder „Jetzt, jetzt, jetzt ...".
• Vor allem sehr triebigen Pferde können Sie ruhig ein bisschen Dampf machen, indem Sie ab und an mit der Longierpeitsche schnalzen oder beim Standortwechsel mit den Füßen lautstark schlurfen (beeindruckt so manchen Faulpelz ungemein!).

Immer mit Verstärker

Ohne Verstärker läuft nicht nur in der Musikanlage, sondern auch im Round Pen nichts: Achten Sie darauf, erwünschte Reaktionen Ihres Pferdes schon im Ansatz positiv, unerwünschte ebenso negativ zu verstärken. Wann immer Ihr Pferd richtig reagiert, also einen Schritt in die erwünschte Richtung tut, seinen Willen zur Mitarbeit zeigt, sich entspannt, abkaut, dehnt, aufrichtet - was auch immer - wird es sofort, deutlich und ehrlich gelobt. Ihr

Ziel ist es, Ihrem Pferd die Arbeit mit Ihnen zu verschönern, es soll sich darauf freuen, mit Ihnen zusammen etwas zu unternehmen, es soll an Selbstbewusstsein gewinnen, soll bestärkt werden. Machen Sie es ihm leicht, das Richtige zu tun!

Falsche oder nicht ausreichende Reaktionen werden bitte nie bestraft, sondern stets nur korrigiert. Ein echter Pferdemensch sucht den Fehler stets bei sich: Tut das liebe Tier nicht, was es soll, hat der Mensch sich nicht deutlich genug ausgedrückt, hat sein Pferd überfordert, keine Rücksicht darauf genommen, dass der Vierbeiner sich nicht so doll fühlt, vielleicht widersprüchliche Hilfen gegeben, ist selber nicht ganz bei der Sache, kurz, hat sich das Fehlverhalten seines Pferdes selbst zuzuschreiben. Also probiert man es noch mal, vielleicht mit mehr Deutlichkeit, mehr Konzentration, mehr Vorbereitung.

Gestraft wird ausschließlich dann, wenn Ihnen Ihr Pferd so richtig frech kommt. Orientieren Sie sich ruhig daran, wie Pferde miteinander umgehen: Provokationen eines im Rang niedriger stehenden werden einfach nicht geduldet, sondern sofort geahndet - allerdings nicht mit brutalen Prügeleien, sondern durch eine einfache Zurechtweisung. Rennt Ihr Pferd auf Sie zu, schlägt in Ihre Richtung gezielt aus, steigt Sie an, so befinden Sie sich in ernsthafter Gefahr. Entweder werfen Sie sofort und für alle Zeiten das Handtuch (was durchaus legitim und kein Zeichen von Schwäche ist, manche Pferde sind nur noch von Profis, wenn überhaupt, zu korrigieren) oder Sie weisen den Angreifer ebenso spontan in seine Schranken. Machen Sie sich

Loben Sie Ihr Pferd bei jeder Gelegenheit, aber nie grundlos.

groß, fuchteln Sie mit den Armen, schreien Sie den Stänkerer an, hauen Sie ihm eins vor die Brust und geben Sie erst nach, wenn er zurück oder zur Seite ausweicht. Richten Sie Ihr Pferd aggressiv rückwärts und verlangen Sie so, dass es Ihnen ausweicht und damit wieder Ihren höheren Rang anerkennt. Dann ist es aber auch gut, und nach einer kurzen Besinnungspause gehen Sie zur Tagesordnung über. Verlangen Sie eine ganz einfache Übung, die Ihr Pferd mit

*Auf die bewusste Provo-
kation durch „Fidelio"
reagiert Bianca, ...*

*indem sie ihn energisch
von sich weg treibt und
in Bewegung hält, ...*

*ihn aber sofort lobt, nach-
dem er eingelenkt hat.*

Sicherheit kann und loben Sie es dann überschwänglich. Es ist ganz wichtig, die Zusammenarbeit auch und besonders nach solchen Zusammenstößen mit einem guten Gefühl auf beiden Seiten zu beenden.

> *Denken Sie immer daran:*
> *Loben Sie öfter, als Sie korrigieren und strafen Sie nur im äußersten Notfall, dann wird Ihr Pferd gerne mit Ihnen kooperieren und in der Zusammenarbeit ebenso viel Freude und Erfüllung finden wie Sie selbst.*

Die acht Gebote der Freiheitsdressur

Zum Abschluss dieses Kapitels möchte ich Ihnen noch ein paar Leitsätze ans Herz legen, die allerdings nicht nur bei der Freiheitsdressur, sondern teilweise auch bei jeder anderen Form von Arbeit mit dem Pferd zur Orientierung dienen können.

1. Wir holen das Pferd dort ab, wo es steht. Wir erwarten also nichts, was es (noch) nicht leisten kann, wir überfordern es nicht, wollen nicht jedem zwei- oder vierbeinigen Vorbild um jeden Preis nacheifern, sondern orientieren uns daran, was unser Pferd leisten kann und leisten will.

2. Wir desensibilisieren unsere Pferde nicht. Wir stumpfen sie nicht ab, indem wir ihnen jeden Schritt aus dem Leib quälen, sie ständig mit unserer automatisch ablaufenden Hilfengebung überfrachten, sondern gestehen ihnen die Fähigkeit zu, unseren Wünschen nach einer Aufforderung selbstständig

nachzukommen. Notfalls erinnern wir sie allerdings daran, doch während sie mitarbeiten, lassen wir sie in Ruhe. So erhalten wir ihre Reaktionen frisch und sensibel und sind nicht gezwungen, ihrem nachlassenden Laufwillen durch ständig gröbere Hilfen nachzuhelfen.

3. Unsere Hilfengebung verläuft nach dem Prinzip: So viel wie nötig, so wenig wie möglich. Nur dann gelingt es uns auch auf lange Sicht, unsere Pferde gegenüber unseren Signalen sensibel zu erhalten. Auch Korrekturen und Strafen werden nach diesem Prinzip vorgenommen!

Die kleine Stute wird auch in Zukunft so sensibel reagieren, wenn wir mit unseren Hilfen zurückhaltend verfahren.

5. Wir verlangen stets sofortige Reaktionen. Auch dies ist ein Aspekt, der wesentlich zur Erhaltung der Sensibilität und Motivation beträgt. Auf einen Befehl erwarten wir eine Reaktion, allerdings wissen wir, dass unser Pferd nicht immer ausreichend oder richtig reagieren wird, doch dies ist zweitrangig und wird sich im Verlauf der Arbeit natürlich allmählich positiv verändern.

Einen Faulpelz müssen Sie durch eine hohe eigene Körperspannung überzeugen.

6. **Wir agieren, unser Pferd reagiert.** Als Vorgesetzter unseres Pferdes übernehmen wir ganz selbstverständlich stets die Initiative und lassen es nicht zu, dass unser Pferd uns seine Bedingungen diktiert.

7. **Wir sind mindestens ebenso konzentriert und aktiv wie unser Pferd.** Es ist ausgesprochen unfair, von seinem Pferd eine kooperative Mitarbeit zu verlangen, wenn man selbst nebenbei mit dem Freund schwätzt,

mehr auf die Zuschauer als auf den eigenen Vierbeiner achtet oder einfach nur schlecht drauf ist.

8. **Unser Ziel ist nicht die Unterwerfung, sondern die freudige und selbstständige Mitarbeit unseres Pferdes.** Aus diesem Grund übernehmen wir zwar die Führung, bestärken aber unser Pferd in seinem Selbstbewusstsein und achten darauf, dass es durch die gemeinsame Arbeit schöner und stärker wird.

V

Sicherer Arbeitsplatz gesucht

Bei der Freiheitsdressur kommen Sie zwar mit wenig oder gar ganz ohne Ausrüstung aus, gewisse Vorbereitungen werden Sie aber trotzdem treffen müssen. Diese betreffen vor allem die Ausstattung des gemeinsamen Arbeitsplatzes.

In Freiheit gefangen

Der Arbeitsplatz muss so beschaffen sein, dass dem Pferd zwar ein Ausweichen als Reaktion auf Ihre treibende Einwirkung ermöglicht wird, es sich dabei aber dem Einfluss des Menschen nicht dauerhaft entziehen kann. Auf einer endlos großen und vielleicht noch hügeligen Weide oder in einer geräumigen Halle wäre das alles recht mühsam, da der Zweibeiner meist doch weniger gut zu Fuß ist als sein vierbeiniger Freund und diesem dann nach jedem Treiben erst stundenlang über Berg und Tal nachfußelt, bis der Kontakt wieder hergestellt werden kann. Es muss ein Kompromiss gefunden werden, und dieser heißt „Longierzirkel" oder neuhochdeutsch „Round Pen".

Eine runde Sache

Darunter versteht man eine runde Arbeitsbahn, die überwiegend der Bodenarbeit in Form von Longieren, Doppellongenarbeit oder Freiheitsdressur dient, aber gerne auch zum Einreiten junger Pferde genutzt wird. Der Round Pen ist eine wirklich runde Sache, es

Ein preiswerter Kompromiss, aber sicher nicht für alle Pferde geeignet, ist dieser Longierzirkel in Leichtbauweise.

Auf langen Linien kommen unsere Pferde leichter in Dehnung als in engen Räumen.

gibt hier, anders als etwa in der Reithalle oder einem Sandpaddock, keine Ecken. Dies hat gleich mehrere Vorteile:

• Wir wissen vorher nicht, wie unser Vierbeiner reagiert. Rohe oder ängstliche Pferde reagieren ebenso häufig zu heftig auf unser Treiben wie Pferde, die schlechte Erfahrungen mit Menschen hinter sich haben. Fühlt sich ein Pferd „in die Ecke getrieben", reagiert es panisch oder greift gar an. Runde Arbeitsbahnen erlauben ihm dagegen immer die Flucht, wobei etwaige Ängste oder Unsicherheiten schon allein durch die Bewegung weitgehend abgebaut werden können.

• Pferde biegen im Idealfall ihre Körperlängsachse entsprechend der Linie, auf der sie sich bewegen. Die Arbeit auf dem Zirkel hat also bezüglich der gymnastizierenden Wirkung auf das Pferd gegenüber der Nutzung einer quadratischen oder rechteckigen Form deutliche Vorteile.

• Es fällt wesentlich leichter, auf einem Zirkel einen guten Bewegungsfluss herzustellen als in einer eckigen Bahn, bei der an den langen Seiten automatisch beschleunigt und in den Ecken gebremst wird. Die Pferde gehen dadurch gleichmäßiger, lassen sich eher los, kommen in Dehnung.

Der Arbeitsplatz unserer Wahl ist also gleichmäßig rund. Steht Ihnen nur eine große Reithalle oder eine rechteckige Longierhalle zur Verfügung, improvisieren Sie mittels Sprungständern und Stangen, Cavaletti oder Strohballen einen Zirkel, der optisch gut begrenzt ist.

Bezüglich der Größe des Round Pen gibt es keine allgemein gültigen Richtwerte. Wie groß oder klein Ihr Longierzirkel sein sollte, hängt von vielerlei Faktoren ab, etwa von der Größe des Pferdes, von seinem Ausbildungsstand, seiner Gangveranlagung, dem inhaltlichen Schwerpunkt der gemeinsamen Arbeit. Generell sollte der Longierzirkel eher zu groß als zu klein sein, mindestens zwölf, besser achtzehn bis zwanzig Meter Durchmesser können Sie als Richtwerte annehmen. Beachten Sie bitte:

• Je größer das Pferd, desto größer der Zirkel;
• je ungelenker das Pferd, desto größer der Zirkel;
• je höher die Geschwindigkeit, desto größer der Zirkel;
• je mehr Arbeit im Zirkelinneren, desto größer der Zirkel;

• je heftiger das Pferd, desto größer der Zirkel;
• je kleiner der Zirkel, desto größer die Belastung der Pferdebeine bei höherer Geschwindigkeit;
• je kleiner der Zirkel, desto größer die erreichbare Biegung des Pferderumpfes;
• je fauler das Pferd, desto kleiner der Zirkel;
• je kleiner der Zirkel, desto schwieriger der Galopp für viele Gangpferde.
• Kleine Zirkel wirken tendenziell eher versammelnd und verlangsamend, große eher dehnend und beschleunigend.

Meist müssen Sie sich vermutlich eh mit den gegebenen Verhältnissen arrangieren; falls Sie jedoch einen Round Pen neu anlegen können, gestalten Sie ihn am besten so großzügig wie möglich.

Möchten Sie auch das Zirkelinnere für Ihre Arbeit nutzen, brauchen Sie natürlich mehr Platz.

Elfenbeinturm oder Zimmer mit Aussicht?

Damit das liebe Tier auch in der Bahn bleibt, muss der Round Pen ausbruchsicher eingezäunt werden. Unabhängig von den verwendeten Materialien können Sie zwischen zwei grundlegend verschiedenen Möglichkeiten wählen. Longierzirkel vom Typ „Round Pen" werden quasi in Massivbauweise erstellt, sie sind dann völlig geschlossen, blickdicht und überkopfhoch eingezäunt. Damit sind sie unübertroffen sicher und zudem von der Außenwelt so abgeschirmt, dass die Konzentration von Ausbilder und Pferd durch nichts gestört wird. Durch die innen glatte Einzäunung aus massiven Brettern oder Bohlen eignet sich diese Bahn auch zum Reiten, da sich der Reiter nicht, wie bei manchen anderen Konstruktionen, mit dem Knie an vorstehenden Balken verhängt oder mit dem Fuß einfädelt und aus dem Sattel gehebelt wird. Gerade für die Arbeit mit völlig rohen Jungpferden ist dieser Typ Round Pen ebenfalls besonders zu empfehlen, da sich auch bei unvermutet heftigen oder gar panischen Reaktionen des Vierbeiners die Verletzungsgefahr in engen Grenzen hält. Allerdings findet in diesen abgeschotteten Räumen die gemeinsame Arbeit quasi in einem Elfenbeinturm statt, was gewisse Nachteile mit sich bringt. Eine Gewöhnung des jungen Pferdes an das Leben und Treiben auf dem Hof, an bellende Hunde, Traktoren oder andere Ablenkungen findet nicht statt und muss durch zusätzliche Ausbildungsformen nachgeholt werden. Schließlich soll Ihr Jungspund auch ein wenig abgehärtet werden und irgendwann lernen, sich trotz interessanter Vorgänge in seiner Umwelt immer auf Sie zu konzentrieren.

Häufiger, nicht zuletzt weil kostengünstiger, finden sich Longierzirkel mit einer lediglich etwa brusthohen, nicht massiven Bande aus Rohrpaneelen oder hölzernen Zaunelementen. Bei Kombinationen aus Pfählen und Latten oder Brettern sollten die Querbalken grundsätzlich innen angebracht werden, damit sie sich bei Ausbruchsver-

Ein Round Pen aus Rohrpaneelen schottet Mensch und Pferd nicht von der Umwelt ab – da sind Ablenkungen vorprogrammiert

suchen oder Unfällen nicht einfach nach außen wegdrücken lassen und das Pferd freikommt. Außerdem bilden sie innen eine glatte Oberfläche, während in den Innenraum vorstehende Pfähle eine hohe Verletzungsgefahr mit sich bringen. Die Querlatten sollten mit ausreichend großen Zwischenräumen angebracht werden, damit sich bei heftigen Aktionen des Pferdes keine Hufe und Beine darin festhaken, sondern das Tier immer freikommen kann. Trotzdem sollten die Zwischenräume nicht so großzügig bemessen sein, dass sich ein vierbeiniger Schlauberger durchschlängeln könnte.

Achten Sie darauf, ein genügend großes, leicht zu öffnendes Tor mit einzuplanen, damit der Boden des Longierzirkels regelmäßig abgeschleppt oder frisch geharkt werden kann. Wer über das nötige Kleingeld verfügt, sollte dem Longierzirkel als Krönung ein wetterfestes Dach aufsetzen. Komplettlösungen von stabilen, praxisgerechten Round Pens inklusive Dachkonstruktion sind heute auch als perfekt durchgeplanter Bausatz erhältlich und mit ein bisschen Geschick selbst aufzustellen - allerdings nicht ganz billig.

Immer wieder finden sich in der Literatur Ratschläge, wie mit ein paar Kunststoffpfählen und ein wenig Elektroseil oder einem Flatterband ganz schnell ein Round Pen aufgestellt werden kann. Das ist grundsätzlich schon richtig, doch gehen Sie mit dieser Form der Einzäunung ein hohes Risiko ein. Diese Provisorien sind nicht ausbruchsicher, ein abrupt wendendes oder auskeilendes Pferd hat sich ruckzuck darin verheddert und geht ein Ausbruchsversuch schief, kann sich Ihr Vierbeiner gar auf einem solchen Pfahl aufspießen! Denken Sie daran: Sie haben Ihr Pferd nicht in der Weise unter Kontrolle, wie Sie dies vom Reiten oder Longieren gewohnt sind und müssen sich vielleicht erst einmal auf eine Art durchsetzen, die Ihnen noch nicht geläufig ist - bei einem Pferd, das möglicherweise aus reiner Überraschung heftiger als sonst reagiert. Vorsicht ist also angebracht!

Boden-Arbeit

Nicht nur beim Reiten, sondern auch bei der Bodenarbeit spielt das Geläuf eine wichtige Rolle. Es muss so beschaffen sein, dass die Pferdebeine weitgehend geschont werden, und dem oft ungelenk agierenden Vierbeiner den nötigen Halt geben. Federnd, nicht zu tief, ohne Steine und auch bei schlechter Witterung immer griffig und locker, so wünschen sich Vier- und Zweibeiner den Boden des Longierzirkels. Sehr tiefe Böden belasten den Trageapparat des Pferdes übermäßig und führen zudem zu schneller Ermüdung. Zu harte, wenig griffige Böden federn nur ungenügend ab und begünstigen vor allem in höheren Gangarten, bei stürmischen Pferden sowie rasanten Manövern Verletzungen, weil die Pferde aus- oder wegrutschen. Starke Regenfälle und Frost setzen dem Belag böse zu und können die Arbeit im Freien ganz unmöglich machen, wenn der Grund zu matschig, zu tief oder zu hart gefroren ist.

Eine gute Lösung, die sich für die meisten Zwecke eignet und häufig ohne weitere Drainagemaßnahmen eingesetzt werden kann, sind grobe Rindenschnitzel in einer Schicht von 40 bis 50 cm. Der Boden federt sehr

gut, Regen läuft ungehindert ab und kann sich nicht stauen und selbst bei Dauerfrost bleibt der Grund locker, da die Schnitzel wenig Wasser binden und deshalb nicht vereisen. Allerdings wird die Oberfläche unter bestimmten Umständen zumindest zeitweise rutschig und macht die Arbeit zur Schlitterpartie - nämlich dann, wenn auf grobe Schnitzel frischer Regen fällt oder Raureif liegt. Mit der Zeit zerbröseln die Schnitzel und verdichten immer mehr, bis sie nach spätestens fünf Jahren ausgedient haben und ersetzt werden müssen. Mit Rindenschnitzeln ausgestattete Round Pens müssen von Hand gerecht und gepflegt werden, schweres Gerät würde sie im Nu verdichten und zerkleinern.

Sand gibt eine billige, einfach zu pflegende und deshalb sehr häufig verwendete Tretschicht ab. Vor allem in Kombination mit einer funktionierenden Drainage spricht absolut nichts gegen Sand, doch in den meisten Round Pens findet sich entweder eine knietiefe Tretschicht, die auch aus dem leichtfüßigsten Pferd eine Wühlmaus macht, oder ein knallharter Boden, der schon seit Jahren keine Pflege mehr erfahren hat. Sand ist eben nicht gleich Sand, besonders die sehr feinen Mischungen sind für unsere Zwecke gänzlich ungeeignet. Die Pferde sinken bei jedem Schritt ewig tief ein und ermüden sehr schnell, stolpern häufig oder knicken gar vorne ein. Zudem staubt es heftig, da mancher feine Sand kaum Wasser bindet und schnell austrocknet. Wählen Sie eher groben Sand oder Sand/Schlackegemische, die so hoch auf eine Drainage aus Schotter oder speziellen Gitterelementen aufge-

Grobe Rindenschnitzel eignen sich hervorragend als Bodenbelag.

bracht werden, dass auch langfristig keine Durchmischung erfolgt oder die Tretschicht auf dem Hufschlag abgetragen werden kann.

Heute sind außerdem geeignete Materialien wie Gummischnitzel oder Kunststoffkörner aus dem Recycling auf dem Markt, die allerdings ebenfalls oft nicht ganz billig sind. Gänzlich ungeeignet sind Gemische aus Sand und Schotter, die sich zwar mit der Zeit gut verdichten und dann eine glatte Oberfläche bilden, aber zu hart sind. Wasser läuft nicht ab, Pfützen vereisen und die Gelenke der Pferde leiden - keine gute Lösung!

Bitte nicht schlabbrig!

Früher herrschten strenge Sitten in den Reitschulen: Lange Haare mussten durch Pferdeschwanz oder Knoten gebändigt werden, unförmige Pullover oder Jacken waren tabu. Dafür gab und gibt es gute Gründe: Nur bei eng sitzender Kleidung kann der Reitlehrer erkennen, wie sein Schüler sitzt und wo Korrekturen angebracht sind. Sind Schultern, Kreuz und Arme durch Schlabberpullis verdeckt, wird die Sitzkorrektur zur Ratestunde.

Andere Gründe sprechen auch bei der Freiheitsdressur für eine schlanke Silhouette: Als gut abgegrenzter Schattenriss wird auch die kleinste Bewegung des Ausbilders dem Pferd zum erkennbaren Fingerzeig, wird der Vierbeiner weder durch wild flatternde Klamotten abgelenkt noch bei einem Windstoß gar erschreckt. Tragen Sie also bei der Arbeit im Round Pen bequeme, aber nicht unförmige Kleidung, schließen Sie Jacken und

Damit „Valur" sie gut versteht, trägt Katrin eng anliegende Kleidung.

Westen, stecken Sie Schals und Halstücher fest und bändigen Sie Ihren Haarwust - Ihr Pferd versteht Sie dann besser!

Achten Sie auf festes Schuhwerk, mit dem Sie auch bei feuchtem Wetter nicht ins Rutschen kommen. Gummistiefel sind ungeeignet, ebenso wie Stiefeletten oder Reitstiefel mit vornehm glatten Ledersohlen. Arbeitsschuhe, Reitstiefeletten nach Art der Basketballschuhe oder anderes Schuhwerk mit grober Sohle gibt Ihnen festen Halt und lässt Sie auch dann nicht im Stich, wenn Sie mal ordentlich springen müs-

Manchmal ist der Einsatz einer Longe sinnvoll - aber dann besser mit Handschuhen.

eine Gerte vom Typ Dressurgerte in die andere Hand nehmen: Bläst der vierbeinige Übeltäter tatsächlich zum Angriff, rückt er Ihnen oft überraschend plötzlich auf den Pelz, so dass Sie ihn mit der Longierpeitsche nicht mehr auf Abstand halten können. Dann wischen Sie mit der Dressurgerte dem Möchtegern-Macho im Notfall (und wirklich nur dann!!!) blitzschnell rechts-links vor die Brust eins aus und bestehen so auf einem respektvollen Abstand.

In manchen Fällen kann es notwendig sein, statt der „echten" Freiheitsdressur eine Kombination von Longieren und freiem Arbeiten durchzuführen und das Pferd mit Halfter und Longe auszurüsten. Dann nämlich, wenn Ihnen kein oder kein sicher eingezäunter Round Pen zur Verfügung steht, wenn Sie bestimmte Übungen trainieren wollen (etwa den Handwechsel oder Appell) und mit der freien Arbeit nicht weiterkommen, wenn Sie sich nicht sicher sind, ob Sie Ihr Pferd wirklich kontrollieren können, wenn Ihr vielleicht fußkrankes Ross unter allen Umständen im Schritt bleiben soll und so fort. In diesen Fällen nutzen Sie die Longe allerdings nur als Rettungsanker und bemühen sich, weitestgehend unabhängig davon zu agieren. Selbstverständlich tragen Sie in diesem Fall gut sitzende Handschuhe, die Sie vor dem Verlust größerer Hautpartien oder ganzer Finger bewahren ...

Round Pen oder Longierzirkel vorhanden? Mit guter Tretschicht ausgestattet? Sicher eingezäunt? Bequem angezogen, mit schlanker Silhouette ausgestattet und gut zu Fuß? Longierpeitsche greifbar? Na, dann kann es ja losgehen!

sen. Am besten wählen Sie ein Modell, das auch Ihren Knöchel abstützt, so verrenken Sie sich selbst bei ungeplanten Hüpfern oder wenig eleganten Ausfallschritten nicht den Fuß.

Zumindest zu Beginn sollten Sie sich, wie Sie bereits wissen, mit einer Longierpeitsche bewaffnen. Zur Erinnerung: In der Theorie reicht zwar Ihre Körpersprache, sprich der ausgestreckte Arm, die deutende Hand, das leichte In-die-Knie-Gehen aus, aber wir wissen ja - grau ist alle Theorie! Meistens erweist es sich als überaus praktisch, eine Longierpeitsche als verlängerten Arm zumindest in Bereitschaft zu halten, um damit etwa den frech hereindrängelnden Hengst auf Abstand halten zu können, das faule Öko-Sparmodell besser zu motivieren oder vielleicht einfach nur einen gleitenden Übergang vom Longieren, das Sie und Ihr Pferd schon kennen, zur noch ungewohnten Arbeitsweise zu schaffen. Bei Hengsten oder bekannt angriffslustigen Pferden sollten Sie zusätzlich

Heute Inventur VI

„Heute Inventur!" steht immer dann groß und breit am Eingang eines Warenhauses, wenn dieses geschlossen wird, damit die Mitarbeiter in aller Ruhe den Warenbestand prüfen können.

Wir stehen vor verschlossenen Türen, während drinnen die Köpfe rauchen: Jedes Produkt muss genau erfasst werden, will man sich eine Übersicht über Vorhandenes und Fehlendes verschaf-

Machen Sie doch mal Pause und beobachten Sie Ihr Pferd in seinem Alltag.

fen. Es spricht viel dafür, auch beim eigenen Pferd einmal eine solche Inventur durchzuführen. Wie, Sie kennen Ihr Pferd in- und auswendig? Das glaube ich Ihnen, doch vielleicht unterziehen Sie es trotzdem einmal einer kritischen Betrachtung und bemühen sich, Ihr vertrautes Ross ausnahmsweise mit den Augen eines Fremden zu sehen.

Warum dieses?

Ganz einfach: Bevor Sie beginnen, mit Ihrem Pferd zu arbeiten, sollten Sie sich mit seinen individuellen Eigenschaften, besonderen Talenten und möglichen Problemen vertraut machen, um zum einen Ihre Arbeit entsprechend auszurichten und zum anderen einen Maßstab für die Qualität

Ihres Trainings zu erhalten. Vergleichen Sie einige Zeit nach dem Beginn der gemeinsamen Arbeit die dann erkennbaren Eigenschaften mit der zuvor erstellten Inventurliste, so lassen sich Verbesserungen und Verschlechterungen relativ objektiv feststellen. Die Inventur ermöglicht Ihnen sinnvolle Korrekturen an Stil, Inhalt, Tempo oder Zielsetzung Ihrer Ausbildung und gestaltet Ihr Training nutzbringender, weil es Ihrem Pferd einfach besser gerecht wird. Kennen Sie nämlich die Voraussetzungen, die Ihr Pferd in die gemeinsame Arbeit mit einbringt, können Sie von Anfang an darauf eingehen und das Training effektiver und für beide Seiten zufriedenstellend ausrichten. Sie vermeiden nicht nur Mängel in der Motivation, sondern verhüten womöglich auch Unfälle, Muskelkater und Verspannungen.

Frei vom Einfluss des Menschen bewegen sich unsere Pferde so, wie sie wollen und können.

Zwar erhebt die niveauvolle Reiterei stets vollmundig den Anspruch, Pferde durch die Arbeit unter dem Sattel schöner machen zu wollen, in der Realität aber zeigt sich meist, dass Pferde infolge der reiterlichen Einwirkung eher an Ausstrahlung, Gangwerk, Schönheit, Kondition und Persönlichkeit verlieren, also positive Eigenschaften einbüßen. Zuviel Zwang, zu viel falscher Ehrgeiz, viel zu viele Hilfszügel und andere Krücken machen viel zu viele Pferde immer hässlicher, viel zu viele Reiter immer unglücklicher. Durch die Beobachtung des frei laufenden Pferdes, sei es auf der Weide oder im Round Pen, gewinnen Sie einen Blick für die wahren Schönheiten Ihres Reitpferdes und können darauf hinarbeiten, dem bei Ihrer zukünftigen Arbeit - ob unter dem Sattel oder am Boden - besser gerecht zu werden.

Der Trick bei unserer Form einer Inventur besteht darin, das Pferd zwar in den Arbeitsraum „Round Pen" zu verbringen und auch in gewisser Weise auf es einzuwirken, aber in erster Linie abzuwarten und zu registrieren, was es von sich aus zeigen kann und möchte. Damit bietet sich beiden Partnern ein schonender Einstieg, der eine gute Grundlage für die weiterführende Arbeit liefert. Nicht zuletzt ermöglicht Ihnen der vorsichtige Einstieg in die Freiheitsdressur auch eine gewisse Schonfrist, während der Sie sich in dieser vielleicht noch ungewohnten Rolle zurechtfinden können.

Es muss wohl nicht extra betont werden, dass Sie bei einem bekannt aggressiven Pferd darauf verzichten, im Rahmen dieser Inventur feststellen zu wollen, ob es Sie auch wirklich angreift und über den Haufen rennt ...

So gehen Sie vor

Falls Sie nicht sowieso zu den gemütlichen Zeitgenossen gehören, die gerne ihre freie Zeit auf der Koppel sitzend verbringen und die lieben Vierbeiner beobachten, müssen Sie eine Gelegenheit künstlich herbeiführen, bei der Ihnen Ihr Pferd zeigt, was in ihm steckt. Dazu nutzen Sie Ihren Longierzirkel, den Sie zuvor schon auf Herz und Nieren, Belag und Einzäunung geprüft haben. Vielleicht bitten Sie einen befreundeten Reiter, Sie bei diesen Beobachtungen zu unterstützen, Sie wissen schon - vier Augen sehen mehr als zwei. Ihr Freund wird Ihr Pferd eher distanziert und objektiv betrachten, während Ihnen die - verständliche - Liebe und Vertrautheit manchmal den Blick trüben kann.

Nehmen Sie eine Longierpeitsche zur Hand, führen Ihr Pferd in den Round Pen, drehen es zu sich und befreien es von Halfter und Führstrick, nachdem Sie das Tor geschlossen haben. Überlassen Sie Ihr Pferd sich selbst und ziehen sich in die Mitte des freien Raumes zurück. Warten Sie ab, was geschieht, versuchen Sie zunächst nicht, Einfluss zu nehmen. Beobachten Sie genau, wie Ihr Pferd sich verhält, aber enthalten Sie sich dabei jeder Wertung. Wie bei einer Inventur stellen Sie zwar fest, was an „Produkten" da ist, unterziehen diese aber keiner Beurteilung.

Haben Sie zunächst genug gesehen, treiben Sie Ihr Pferd mittels Longierpeitsche auf den Hufschlag und lassen es Schritt gehen. Beobachten Sie nicht nur, wie es seine Beine bewegt, seine Hufe setzt, seinen Körper biegt, sondern auch, wie willig es sich treiben lässt, wie es auf Sie reagiert. Alles erfasst? Dann treiben Sie es weiter an, bis es antrabt und betrachten Sie den Trab. Dasselbe im Galopp, Handwechsel, andere Hand. Versuchen Sie lediglich, Ihr Pferd durch alle verfügbaren Gangarten auf beiden Händen zu treiben, enthalten Sie sich aber jeglicher weitergehenden Einflussnahme.

Was stellen Sie fest?

Es geht hier zunächst nur darum, möglichst viele leicht erkennbare Eigenschaften des Pferdes abzurufen und zu katalogisieren. Diese betreffen nicht nur seine Bewegungsabläufe, sondern auch die Art und Weise, wie es auf Sie reagiert. Diese, aber auch andere Eigenschaften können im Rahmen einer solchen einfachen Inventur erfasst werden:

• Abrufbare Gangarten
„Normale" Pferde schalten vom Schritt in den Trab und daraus in den Galopp, doch viele Gangpferde verfügen über andere oder weitere Gangarten. Meist sind beim frei laufenden Pferd manche allerdings nur in Ansätzen erkennbar, etwa indem das Pferd beim Beschleunigen aus dem Schritt Schweinepass statt Trab zeigt oder beim Abbremsen aus dem Galopp ein paar Töltschritte erkennen lässt. Manche passionierte Schweinepasser zeigen frei laufend keinen Trab, wohl aber unter dem Sattel. Andere Pferde verfügen offensichtlich über Tölt, obwohl der Reiter dies nicht vermutet - der eine oder andere Tölter findet sich selbst unter so traditionell dreigängigen Rassen wie Quarter Horse oder Welsh Cob. Manche Gangpferde finden, je nach Veranlagung, im Longierzirkel nur schwer in den Galopp, da sie höhere Geschwindigkeiten und eine gerade Strecke bevorzugen. Wir interessieren uns hier nur für die abrufbaren Gang-

arten, also nicht für Gänge, die das Pferd nur unter dem Reiter, an der Longe oder mit allerlei Hilfsmitteln zeigt.

• Taktreinheit der abrufbaren Gänge

Schon ein bisschen schwerer zu erkennen und doch ein wichtiger Punkt. Taktunreinheiten können entweder ein Hinweis auf Verspannungen sein (vor allem ein passiger Schritt) oder aus der spezifischen Gangveranlagung eines mehrgängigen Pferdes resultieren. Gangpferde zeigen oft eine Vielzahl an Takt„fehlern“, die zwar unerwünscht sind, aber nicht als Hinweis auf Probleme etwa im Rücken zu werten sind. Ein passiger Schritt, unreiner Trab (vor allem häufiges Wechseln zwischen Trab und Tölt) oder ein gelaufener Galopp kann deshalb bei ihnen einfach ein Zei-chen für nicht sauber getrennte Gänge, aber deshalb noch durchaus normal sein, im Einzelfall aber auch aus starken Verspannungen oder Schmerzen herrühren. Bei nicht gangveranlagten Pferden sind diese Merkmale allerdings immer ein Hinweis auf (Rücken-) Probleme, die etwa durch Reiterfehler oder schlecht sitzende Sättel hervorgerufen werden.

• Abrufbares Gangmaß

Uns interessiert auch, inwieweit sich das Tempo in einer Gangart stufenlos steigern und verlangsamen lässt. Locke-re und gut veranlagte Pferde verfügen über eine hohe Bandbreite an Gang-maß, während gebunden gehende Pfer-de lieber die Gangart wechseln, als die Tritte zu verlängern oder einzufangen. Am besten lässt sich dies im Trab

Hier wird die Frage nach dem Gangmaß im Schritt beantwortet: „Tonka" geht sehr schnell in Trab über.

erkennen: Treiben Sie Ihr Pferd durch Stimme, Körper und Peitsche ganz vorsichtig immer weiter an und beobachten Sie, wann es zum Galopp wechselt und verlangsamen Sie es ebenso stufenweise, bis es in den Schritt übergeht.

• Gangmechanik

Wie setzt Ihr Pferd seine Beine ein? Läuft es eher flach und ökonomisch, ist es mit hoher Knieaktion ausgestattet, neigt es zum Stolpern? Führt es seine Gliedmaßen geradeaus oder verpulvert es Energie durch Schlenkerbewegungen zur Seite? Geht es hinten breit, was auf Mängel der Balance und damit der Ausbildung schließen lässt? Wie stark tritt es unter? Viele Rassen zeichnen sich durch Besonderheiten der Gangmechanik aus, die ihr Erscheinungsbild prägen und auch gezielt züchterisch erhalten werden, aber nicht immer sind diese typischen Bewegungsmuster vom Standpunkt der Pferdegesundheit positiv zu bewerten.

Alle aufwendigen und extremen Bewegungen verbrauchen zum einen Energie und führen deshalb früher zur Ermüdung des Pferdes, zum anderen ziehen sie meist eine einseitige Überbelastung bestimmter Gelenke nach sich. Bevor wir mit der Arbeit beginnen, sollten wir dies wissen.

• Bevorzugte Laufrichtung

Während es bei uns Menschen bekanntlich Rechtshänder und Linkshänder gibt, könnte man beim Pferd von „Rechtsherumläufern" oder „Linksherumläufern" sprechen. Klartext: Jedes Pferd verfügt über eine „gute" Seite, die es leichter und geschmeidiger hohl machen kann und eine „schlechte", bei der ihm dies schwerer fällt. Folgerichtig bevorzugen manche Pferde die rechte, andere die linke Hand. Pferde gehen auf ihrer schlechteren Hand meist eher nach außen gestellt und drücken sich so davor, sich biegen zu müssen. Ganz

„Wopke" kann nicht
weiter untertreten,
er hat nämlich leider
Spat.

hartnäckige Fälle versuchen gar, selbstständig die Hand zu wechseln, um wieder in der bevorzugten Richtung laufen zu können. Meist werden Sie die gute und die schlechte Hand Ihres Pferdes problemlos erkennen können. Bitte merken! Es empfiehlt sich nämlich, die Arbeit stets auf der guten Hand zu beginnen, der schlechten Hand dann aber besondere Aufmerksamkeit zukommen zu lassen, um deren mangelhafte Geschmeidigkeit mit der Zeit auszugleichen.

• Balance

Der fortgeschrittene Reiter spricht gerne davon, dass sein Pferd „sich selbst trägt". Damit ist nicht etwa gemeint, dass es sich in Münchhausenmanier am eigenen Schopf aus dem Sumpf zieht, sondern dass es bei der Arbeit unter dem Sattel ohne stützende Reiterhand versammelt und im Gleichgewicht gehen kann. Pferde mit mangelnder Balance neigen dazu, auf der Vorhand

zu gehen, leichter zu stolpern und dem Reiter auf der Hand zu hängen. Dieses Problem kann bis zu einem gewissen Maß angeboren sein und seine Ursache in anatomischen Mängeln haben, häufiger aber ist es hausgemacht, also angeritten. Wie auch immer: Beobachten Sie, ob Ihr Pferd in der freien Bewegung mit der Hinterhand weit untertritt, mit aktivem Rücken schwingend geht, mit freier Schulter und weit ausgreifender Vorhand bergauf galoppiert. Schlecht ausbalancierte Pferde dagegen treten kaum unter, laufen mit schleppender Hinterhand, galoppieren in den Boden hinein und zeigen weder Raumgriff noch Aktion.

• Lauflust und Temperament

Reagiert Ihr Pferd freudig auf jede Aufforderung oder muss es mühsam überredet werden, sich in Bewegung zu setzen? Bietet es tendenziell mehr oder weniger an, als gefordert wird? Kommentiert es Anweisungen Ihrerseits durch hüpfende Galoppsprünge, Buckler oder andere Temperamentsausbrüche oder hat es die Ruhe weg? Beim freien Laufen können Sie sich ein recht gutes Bild vom Temperament und der Lauffreudigkeit Ihres Pferdes machen, während der Eindruck unterm Sattel täuschen kann. Hier rennen nur allzu viele Pferde ängstlich, verspannt oder schmerzhaft dem Reiter unterm Hintern weg, was dieser oft falsch einschätzt und für überschäumenden Laufwillen hält. Möchten Sie das Temperament Ihres Pferdes in Ihrem Sinne beeinflussen, sollten Sie für die Freiheitsdressur viel Abwechslung bei nur kurzen Arbeitsintervallen für das faule, und ruhige, längere Trabreprisen und wenig Anlass für Aufregung für das zu heftige Pferd einplanen.

Faule, ruhige Pferde müssen knackig gearbeitet werden, dann wachen sie auf.

• Kondition

Was macht Ihr Vierbeiner: Dreht er Runde um Runde fröhlich und voller Energie, oder schlafft er nach kurzer Zeit ab? Scheint er zunächst vor lauter Arbeitslust förmlich zu platzen, um schon nach wenigen Minuten stark nachzulassen? Gerät er schnell ins Schwitzen, und braucht er nach jeder Anstrengung sehr lange, bis sich seine Atmung wieder beruhigt? Versuchen Sie, sich ein möglichst umfassendes Bild von seiner Kondition zu machen, und lassen Sie sich von Blendern nicht täuschen. Vor allem mit Kraftfutter überfütterte Pferde arbeiten nach dem Motto „Schwach anfangen und dann stark nachlassen": Sie drehen unkonzentriert ein paar hektische Runden und können dann schon nicht mehr. Vierbeiner mit schlechter Kondition

verlangen gerade bei der Freiheitsdressur viel Rücksichtnahme, denn mit nachlassender Kraft erhöht sich das Verletzungsrisiko. Sie sollten für diese dann einen Arbeitsplan aufstellen, der viel ruhige, die Kondition aufbauende Schrittarbeit einplant.

• Konzentrationsspanne und Kooperationsbereitschaft

Wie lange gelingt es Ihnen problemlos, die Aufmerksamkeit Ihres Vierbeiners auf sich zu richten? Dies ist nicht allein ein Maßstab für seine, sondern auch für Ihre Konzentrationsfähigkeit und erlaubt außerdem eine Aussage über Ihr Rangverhältnis. Nimmt Ihr Ross Sie nicht ernst, hat es auch keinen Anlass, Sie aufmerksam zu beobachten. Respektiert es Sie allerdings als Chef, können Sie seine Konzentration länger auf sich richten, denn als rangniedrigeres Wesen muss es alleine aufgrund Ihrer Privilegien auf Sie achten. Verlangen Sie vor allem von jungen Pferden nicht zu viel, denn diese sind, wie Menschenkinder auch, schnell abzulenken und können sich vor allem in ungewohnter Umgebung nur schwer konzentrieren. Schätzen Sie die Konzentrationsspanne Ihres Pferdes schon jetzt ab und beenden Sie künftig die gemeinsame Arbeit, bevor sie endet.

• Einstellung zum Menschen, Sensibilität

Versuchen Sie, Ihre Anweisungen durch Stimme, Körpersprache und Longierpeitsche dosiert, aber impulsartig zu geben (mit anderen Worten: kurz und knackig) und beobachten Sie, wie Ihr Pferd darauf reagiert. Erschreckt es, läuft es bereitwillig los, trottet es gemütlich davon oder dreht

Was der Mensch da so treibt, interessiert „Bingo" herzlich wenig.

es lediglich lässig ein Ohr in Ihre Richtung und kümmert sich nicht weiter drum? Erwünscht ist eine eifrige, aber nicht ängstliche Reaktion, und wenn die Ihres Pferdes von diesem Ideal abweicht, kann die Ursache in mangelndem Respekt, fehlender Motivation, gesundheitlichen Problemen oder geringer Sensibilität liegen. Letzteres muss kein Nachteil sein,

Äußerst sensibel, aber nicht ängstlich reagiert die Isländerstute auf jede kleine Bewegung ihrer Ausbilderin.

denn gerade Anfänger oder ängstliche Menschen fühlen sich auf einem geruhsam agierenden Pferd, das unsichere oder falsche Hilfengebung auch mal gutwillig ignoriert, wohler als auf einem Mimöschen. Andererseits sollte man ein spritziges Temperament gepaart mit hoher Sensibilität (beispielsweise bei manchen Islandpferden) keinesfalls fehlinterpretieren und mit Angst verwechseln, wie dies immer wieder selbst in der Fachliteratur geschieht. Ein genauer, unvoreingenommener Blick ist wichtig, um in Zukunft Ihre Hilfengebung in Intensität und Häufigkeit auf die

Bedürfnisse Ihres Pferdes auszurichten, aber auch etwaige Mängel von Anfang an zu korrigieren.

• Lahmheiten, Verspannungen, Gangsalat, anatomische Probleme

Ein weites Feld, und eigentlich Stoff genug für ein ganzes Buch. Sehr viele Ursachen können dazu führen, dass Ihr Pferd nicht so läuft, wie Sie sich das vorstellen, und nicht alle Probleme können verbessert oder beseitigt werden. Während die meisten Reiter eine Lahmheit ohne weiteres erkennen, fällt ihnen dies bei Verspannun-

Fehlstellungen wirken sich nicht nur auf die Beine aus, sondern können im ganzen Körper Verspannungen verursachen.

gen etwa aufgrund einer Überbelastung oder mangelnder Gymnastizierung schon schwerer. Hier pauschale Hinweise zu geben, ist nicht möglich, aber forschen Sie in Ihrer Inventurliste ruhig nach einer Häufung von unerwünschten Merkmalen. Ist Ihr Pferd etwa gleichzeitig faul, neigt zum Kreuzgalopp, geht auf der rechten Hand stark nach außen gestellt und erscheint übellaunig, sollten Sie der Sache auf den Grund gehen. Die Wahrscheinlichkeit, dass es an körperlichen Problemen im weitesten Sinne leidet, ist groß.

Anatomische Abweichungen vom Ideal gibt es wie Sand am Meer:

Manche sind hausgemacht, sprich angeritten und sollten durch eine Umstellung der Reitweise schleunigst korrigiert werden, andere angeboren. Nicht alle, aber doch einige wirken sich mehr oder minder hinderlich auf die Leistungsfähigkeit eines Pferdes aus. Achten Sie vor allem auf mangelhafte oder asymmetrische Bemuskelung, vielleicht verbunden mit einer Neigung zum Unterhals oder einem Senkrücken: Dieses Pferd wird nicht gymnastizierend geritten, ist vermutlich verspannt und ein potenzieller Kandidat für sämtliche Rückenprobleme. Stolpernde, auf der Vorhand latschende

Pferde leiden vielleicht unter der gefürchteten Hufrolle (Podotrochlose), hinten steif gehende möglicherweise unter Spat. Nutzen Sie die Inventur, aber auch jede andere Form von freier Arbeit mit Ihrem Pferd, um es immer wieder einer kritischen Betrachtung zu unterziehen. Vielen Problemen kommen Sie so frühzeitig auf die Spur, viele Hindernisse beim Training können sinnvoll umgangen werden.

Am Ende Ihrer Inventur sollten Sie sich ein umfangreiches, genaues und annähernd objektives Bild von den Anlagen Ihres Pferdes gemacht haben, die Sie zukünftig bei jeder Form von Arbeit berücksichtigen können. Zudem liefert Ihnen diese Liste eine prima Vergleichsmöglichkeit, an der sich die Qualität Ihres Trainings ablesen lässt: Tritt Ihr Pferd in drei Monaten frei laufend im Schritt besser unter als zuvor, dürfen Sie sich gratulieren; fällt es dann nicht mehr in Kreuzgalopp, ist ein anerkennendes Schulterklopfen fällig; arbeitet es willig und konzentriert länger mit als heute, haben Sie Ihre Sache gut gemacht. Wenn nicht, müssen Sie Ihre Arbeit einer kritischen Betrachtung unterziehen und nach der Ursache forschen. Besser geht es immer ...

VII

Immer an der Wand lang

Vielleicht haben Sie sich die Mühe gemacht, mit einer systematischen Inventur Ihr Pferd zunächst einmal mit annähernd objektiven Augen zu betrachten, dann haben sich sicherlich ganz von selbst erste Ansatzpunkte für die weitere Arbeit ergeben: Sie möchten Ihr verspanntes Pferd entspannen oder sich erst einmal Respekt verschaffen, wollen mehr Ruhe oder mehr Dynamik in Ihr Verhältnis bringen, den eigenen Blick schulen oder Ihren passionierten Schweinepasser endlich zum Traben bringen. Am besten legen Sie sich vorab ein paar ganz individuelle Richtlinien für Ihre ersten Trainingseinheiten zurecht: Wie lange möchten Sie arbeiten, welchen Schwerpunkt wollen Sie setzen, was genau würden Sie gerne erreichen, was müssen Sie auf jeden Fall vermeiden? Diese Überlegungen helfen Ihnen, sich ein neues Sachgebiet Stück für Stück zu erschließen, ohne sich dabei zu verzetteln oder durch zu hohe Erwartungen unter Druck zu setzen.

Grundlagenarbeit: Sieht zwar nach nix aus, stellt aber schon eine bedeutende Leistung dar.

Immer im Kreis

Ihre Ziele sind zunächst recht genau zu definieren: Als Grundlage für jede weiterführende Arbeit im Rahmen der Freiheitsdressur, aber auch zur Etablierung eines klaren Rangverhältnisses sowie als Basis für Longen- und Doppellongenarbeit trainieren Sie Ihr Pferd zunächst in allen abrufbaren Grundgangarten auf dem Zirkel. Allein um dies zu erreichen, müssen Sie Ihren Vierbeiner bereits in mehrfacher Hinsicht kontrollieren - keine leichte Aufgabe!

Bei passionierten Faulpelzen halten Sie sich auf Höhe der Kruppe und laufen in einigem Abstand mit.

Sie bestimmen nämlich gleichzeitig über

- die Laufrichtung (rechte, linke Hand), also auch über anfallende
- Handwechsel, natürlich geben Sie
- Gangart und
- Geschwindigkeit vor und
- verhindern, dass Ihr Ross in die Mitte drängt, Sie halten es stets auf dem Hufschlag.

Ein schönes Stück Arbeit, das von Ihnen bereits ein hohes Maß an Körperbeherrschung und Konzentration verlangt. Ihre Kontrolle üben Sie wie folgt aus:

Sie kontrollieren die **Laufrichtung**, indem Sie von der Zirkelmitte aus treibende Signale auf die Hinterhand des Pferdes richten: Ihr Pferd weicht aus, Sie treiben es vor sich her. Solange Sie vorwärts treibende Signale auf die Hinterhand richten und es gleichzeitig vermeiden, unabsichtlich bremsend auf Ihr Pferd einzuwirken, wird es die Laufrichtung beibehalten. Oft lässt sich aber beobachten, dass der Mensch sich mit der Zeit langsam aus der Zirkelmitte und vor das Pferd dreht, ohne

dass ihm dies bewusst ist. Damit wird das Pferd unabsichtlich gebremst oder gar gewendet. Halten Sie sich also stets auf Höhe der Rumpfmitte des Pferdes (in der neutralen Zone) oder, bei passionierten Faulpelzen, auch leicht dahinter.

Möchten Sie einen **Handwechsel** einleiten, müssen Sie Ihr Pferd aus der bisherigen Laufrichtung in die neue lenken, ihm dazu den Weg in die alte Richtung versperren, die andere aber freigeben. Dies geschieht, indem Sie sich aus der neutralen Position fort bewegen und zunächst bremsend auf das Pferd einwirken. Dazu gehen Sie ansatzweise auf einen Punkt an der Bande zu, der ein Stück vor dem Pferd liegt. Bei eher geringer Sensibilität Ihres Vierbeiners müssen Sie tatsächlich ein paar energische Schritte in diese Richtung machen und dabei möglichst auch die Longierpeitsche verwahrend als Verlängerung des eigenen Körpers erheben, bis sie den Hufschlag versperrt. Vorsichtige, ängstliche oder sehr aufmerksame Pferde stoppen Sie

Mit einiger Übung können Sie das Anhalten ...

und Wenden energisch aus jeder Gangart durchführen.

oft schon durch leichtes Erheben der Hand. Um Ihr Pferd anschließend in die neue Laufrichtung abzulenken, treiben Sie es von sich weg, wobei Sie die bisherige Laufrichtung versperren. Es wird vielleicht zunächst rückwärts gehen oder zur Zirkelmitte hin abwenden, was Sie trotzdem mit einem deut-

lichen Lob belohnen - es hat immerhin versucht, richtig zu reagieren. Wenden Sie anfangs immer aus dem Stand, später können Sie Anhalten und Wenden fließend ineinander übergehen lassen.

Perfekt gelingt die Wendung dann, wenn Ihre führende Hand den Weg versperrt, während die andere in die

neu einzuschlagende Richtung deutet und dabei das Pferd nach innen begrenzt. Weicht der Vierbeiner stets einfach rückwärts aus, treiben Sie ihn mit der Longierpeitsche von der Bande weg, während Sie vor ihm stehen und treiben dann in die gewünschte Richtung nach. Ein erfolgreich durchgeführter Handwechsel wird abschließend stets gelobt!

Zur Kontrolle der Gangart müssen Sie treibende und verwahrende Hilfen sehr flexibel einsetzen und dabei die individuelle Veranlagung des Pferdes immer berücksichtigen. Wie stark und wie häufig Sie einwirken müssen, lässt sich nämlich pauschal nicht sagen und hängt vor allem von der Sensibilität, dem Temperament und Laufwillen des Vierbeiners ab. Begnügen Sie sich zunächst damit, lediglich über die Gangart zu bestimmen, und etablieren

Sie die dazugehörigen Befehle (auch und vor allem stimmlicher Art), bis Sie Ihr Pferd nur oder fast nur durch einen Stimmbefehl die Gangart wechseln lassen können. Erst wenn dies wirklich sitzt, können Sie mit Ihrem Vierbeiner eine Klasse aufrücken und daran gehen, die Geschwindigkeit oder das Gangmaß innerhalb einer vorgegebenen Gangart zu variieren. Dazu muss er lernen, auf leicht verhaltende Hilfen und den Befehl „Langsaaaaam" sein Tempo bis zu einem von Ihnen bestimmten Maß herabzusetzen, ohne dabei in eine langsamere Gangart zu wechseln, und ebenso auf leichtes Treiben und ein passendes Kommando schneller zu werden. Erfahrungsgemäß lassen sich die meisten Pferde durch lange, gezogene und mit tiefer Stimme gesprochene Worte, zusammen mit einer unaufdringlichen Körperhaltung oder durch

„Tonka" wollte mal wieder drängeln, aber Katrin übernimmt die Initiative und treibt sie zurück auf den Hufschlag.

leises Pfeifen zweier Töne gut verlangsamen. Ebenso aufmerksam beschleunigen sie, wenn Sie zunächst im Takt der Gangart Worte wie „Komm, komm, komm" oder „Jetzt, jetzt, jetzt" mit fordernder, heller Stimme sprechen und diesen Rhythmus dann auf das von Ihnen gewünschte Maß beschleunigen - meist wird Ihr Pferd dem Takt Ihrer Worte folgen.

Die meisten Pferde gewöhnen sich schnell an, außen auf dem **Hufschlag** des Zirkels zu bleiben. Oft kennen sie dies schon vom Longieren oder anderen Formen der Bodenarbeit. Meist reicht ein bestimmtes Auftreten des Menschen, um den Vierbeiner auf Abstand zu halten (Sie wissen schon, da wirkt Ihre Individualdistanz „abstoßend"). Allerdings testen eher dominante Rös-

ser ihre Grenzen gerne immer mal aus, indem sie - vorwiegend mit nach außen gewendetem Kopf („Du da drinnen interessierst mich nicht die Bohne!") nach innen, in Ihre Richtung drängeln. Wie Sie wissen, stellen die lieben Tiere damit ganz unauffällig Ihren Rang in Frage, was Sie natürlich nicht dulden müssen und auch nicht dulden sollten. Wehret den Anfängen! Sie quittieren diese Herausforderung mit einem Schlenker der Longierpeitsche in Richtung auf die Mitte des Pferderumpfes und dem Befehl „Geh heraus", wobei Sie Ihr Pferd mit dem Schlag tupfend berühren sollten. Reagiert es, wird gelobt, reagiert es nicht, wird der Befehl mit Nachdruck (jetzt ist ein Gertenklaps auf den Pferdepopo fällig) aggressiv wiederholt.

„Fidelio" gibt zwar mächtig an, hält aber respektvoll Abstand, ohne dass Bianca grob werden müsste.

Sollte der Vierbeiner bei einer solchen Aktion nach Ihnen austreten oder in aggressiver Absicht auf Sie zu oder dicht an Ihnen vorbeirennen, gibt es richtig Ärger. Schreien Sie ihn an, sorgen Sie mit der Longierpeitsche für Abstand und treiben ihn gleichzeitig in eine höhere Gangart. Wenn es Ihre Kenntnisse zulassen, parieren Sie anschließend abrupt durch und lassen ihn einige Schritt rückwärts treten, ansonsten bestehen Sie fordernd darauf, dass er einige Runden in schnellem Tempo absolviert, und bremsen ihn erst dann, wenn er Anzeichen des Einlenkens zeigt: Der Frechdachs richtet ein Ohr in die Zirkelmitte, kaut ab, senkt den Kopf. Vor allem sehr freche Pferde und viele Hengste werden mehr als einmal probieren, ob sie den eigenen Rang nicht doch

verbessern können, seien Sie also stets darauf gefasst. Spätestens nach dem ersten Mal wissen Sie Ihre Longierpeitsche auch sehr zu schätzen. Während absolute Profis oft ganz ohne Hilfsmittel auskommen, können wir Laien unsere unbeholfenen Hilfen oder ein nicht ausreichend eindrucksvolles Auftreten damit wirkungsvoll unterstützen. Aber: Verfallen Sie nicht in ein Hauen und Stechen, und sei Ihr Ross noch so aufmüpfig. In der Ruhe liegt die Kraft, liegt die Stärke des Herdenführers!

Dreierlei

Im Rahmen dieser Grundlagenarbeit leisten Sie bereits Beträchtliches, auch wenn diese Basis der Freiheitsdressur rein optisch wenig hermacht und sich nicht dazu eignet, bewundernden Stallkameraden ein „Oh!" abzuringen. Trachten Sie nicht danach, möglichst schnell in die heiligen Hallen der Pferdeflüsterer aufgenommen zu werden, sondern legen Sie einfach nur durch gute Arbeit eine solide Grundlage. Dazu gehört auch, dass Sie Ihr Training so gestalten, dass die übliche Dreiteilung der Arbeit mit dem Pferd erhalten bleibt.

„Aufwärmen - arbeiten - entspannen" - so und nicht anders sieht Ihr Trainingskonzept, ganz unabhängig von dessen aktuellen Inhalten, immer und überall aus. Während der Aufwärmphase werden die Muskeln erwärmt und auf kommende Aufgaben vorbereitet, die Gelenkflüssigkeit in den Betriebszustand gebracht, durch den sie erst ihre dämpfenden Eigenschaften erhält. Der ganze Körper des Pferdes wird gedehnt, die Muskulatur gestreckt. Auch der Mensch hat Zeit, den Alltag abzuschütteln und sich auf seinen Vierbeiner einzustellen. Rech-

nen Sie für diesen ersten Abschnitt zehn, besser zwanzig Minuten ein, der mit Schritt auf beiden Händen begonnen, mit langsamem Trab beendet wird. In der Arbeitsphase erarbeiten Sie sich das für heute gesteckte Ziel, wechseln aber auch hier fallweise zwischen Phasen der Anspannung oder Versammlung und solchen der Dehnung oder Entspannung. Arbeiten Sie Ihr Pferd in allen Gangarten, wobei Sie den Schwerpunkt in die Trabarbeit legen sollten. Schluss ist immer dann, wenn sich die Kondition oder die Konzentration Ihres Vierbeiners dem Ende nähert. Beenden Sie die Arbeitsphase stets mit einer gelungenen Übung, damit Ihr Pferd das darauf folgende Lob als angenehme Erinnerung mitnimmt. Während der folgenden Entspannungsphase wird nun keine Leistung mehr verlangt, sondern Sie geben Ihrem Pferd Gelegenheit, sich von der vorangegangenen Anstrengung zu erholen. Es darf sich recken und strecken und gemütlich ein wenig in Dehnungshaltung traben, dann aber

Bei der Dehnung streckt das Pferd seine wichtigen langen Rumpfmuskeln.

Der Begriff „Verständnis" hat zwei Seiten: Einander Freund sein, aber auch erfolgreich kommunizieren.

wechseln Sie in den Schritt. Halten Sie Ihr Pferd mindestens so lange in Bewegung, bis sich seine Atmung normalisiert hat. Bei schlechter Witterung können Sie ihm eine Decke über die Kruppe legen, damit die Muskulatur nicht zu schnell auskühlt.

Viel Abwechslung, wenig Anstrengung

Verlangen Sie von Ihrem Pferd grundsätzlich keine Ausdauerleistungen im Round Pen. Ihr Konditionstraining verlegen Sie bitte ins Gelände, wo die ständig wechselnde Umgebung seinen Geist frisch erhält. Runde um Runde Galopp oder Trab im Round Pen empfindet nicht nur Ihr Vierbeiner schnell als absolut nervtötend, mit seiner Freude an der gemeinsamen Arbeit ist es dann bald vorbei. Zudem belastet die Arbeit auf dem Zirkel auch ohne Reitergewicht die Pferdebeine in höheren Gangarten übermäßig, weshalb Sie Ihren Schwerpunkt in der Abwechslung, der Feinabstimmung zwischen Mensch und Pferd, der gezielten Gymnastik, nicht in der körperlichen Anstrengung sehen sollten. Abwechslung bringen Sie folgendermaßen in Ihre Grundlagenarbeit:

1. Wechseln Sie häufig die Gangart.

2. Wechseln Sie häufig das Gangmaß.

3. Wenden Sie häufig in die andere Richtung.

4. Üben Sie gezielt Übergänge.

5. Üben Sie Übergänge, die beim „Schalten" eine Gangart auslassen (Schritt - Galopp - Schritt, Halt - Trab - Halt)

6. Verbinden Sie einzelne, bereits von Ihnen beiden beherrschte Elemente der Grundlagenarbeit auf zunehmend anspruchsvolle Weise (Galopp - Stopp - Wendung - Galopp).

Bei aller Freude an der Arbeit: Übertreiben Sie es nicht! Sind Sie und Ihr Pferd so weit, dass Sie nach ein paar Monaten gemeinsamen Übens diese Grundlagenarbeit beherrschen, dürfen Sie sich glücklich schätzen. Bei Problempferden, bei denen der Schwerpunkt zunächst in der Klärung des Rangverhältnisses liegt, dauert es natürlich ein wenig länger. Erst wenn Sie und Ihr Pferd sich wirklich gut „verstehen" (miteinander gut Freund sind, aber auch erfolgreich kommunizieren), ist es Zeit für weiterführende Arbeit.

VIII

Zu Höherem berufen

Die Arbeit über Stangen bringt Abwechslung in Ihr Training und hilft Ihnen bei der gezielten Gymnastizierung Ihres Pferdes. Aus dem glatten, wenig anspruchsvollen Geläuf des Longierzirkels wird ganz schnell eine Geländestrecke mit Unebenheiten, die aufmerksam überschritten werden müssen, kleinen Herausforderungen, die jeder Vierbeiner meistern kann. Sie bedienen sich dazu der üblichen Sprungstangen, die massiv gebaut und auffällig gefärbt sein sollten.

Vermeiden Sie alte Koppelbretter, dünne Palisaden oder hohle Stangen wie auch sonst alles, was splittern, brechen oder versteckte Überraschungen in Form von rostigen Nägeln bereithalten könnte. Stangen müssen gut sichtbar sein, sich also vom grauen oder braunen Bodenbelag des Round Pens deutlich abheben, damit sie vom Pferd wahrgenommen werden können.

Vorsicht ist die Mutter der Stangenarbeit

Gute Stangenarbeit nützt Ihrem Pferd ebenso viel, wie schlechte ihm schadet. Schlecht ist Stangenarbeit dann, wenn sie nicht auf die individuellen Bedürfnisse Ihres Pferdes zugeschnitten ist, sie Ihr Pferd überfordert. Auch hier erweist sich Ihre Inventur wieder als sinnvoll, denn damit haben Sie eine recht genaue Vorstellung vom Gangwerk Ihres Vierbeiners und seinen besonderen Bedürfnissen. Grundsätzlich sollten Sie folgende Vorsichtsmaßnahmen beachten:
• Schützen Sie die Beine eines ungeschickten oder anatomisch ungünstig gebauten Pferdes durch Sprungglocken, Gamaschen oder Bandagen.
• Beginnen Sie Ihre Arbeit stets ohne Stangen. Legen Sie eine Stange aus, sobald Ihr Pferd gut aufgewärmt ist, und fügen Sie nach und nach weitere Stangen hinzu. Beenden Sie die Arbeit über Stangen nach wenigen Runden

auf beiden Händen und lassen Sie Ihr Pferd anschließend im ruhigen Trab oder Schritt ohne Stangen entspannen.

• Achten Sie darauf, auch im Rahmen der Stangenarbeit die Dreiteilung des täglichen Trainings in Dehnung - Arbeit - Entspannung beizubehalten.

• Verzichten Sie darauf, Ihr Pferd im Longierzirkel frei springen zu lassen.

• Achten Sie darauf, Ihr Pferd konsequent auf dem Hufschlag laufen zu lassen, da es beim schrägen Überqueren der Stangen Probleme wegen der nun nicht passenden Abmessungen bekäme.

Stangenarbeit eignet sich grundsätzlich für fast alle Pferde und empfiehlt sich besonders für

- faule,
- demotivierte,
- unkonzentrierte Pferde,
- solche, die häufig stolpern oder
- grundsätzlich schlurfen.

Andere Pferde profitieren von dieser Form des Trainings nicht, nur mit Einschränkung oder nach längerer Vorbereitung:

- Pferde, die sich bereits bei der einfachen Freiheitsdressur nicht konstant in der gewünschten Gangart halten lassen, da unkontrolliertes Rasen über Stangen ein hohes Verletzungsrisiko mit sich brächte;
- Leidet Ihr Pferd unter Arthrose im weitesten Sinne (etwa im Rahmen einer Spaterkrankung oder Hufrollendegeneration), ist die Stangenarbeit wie alle anderen Formen des Trainings immer in Absprache mit dem Tierarzt einzusetzen. Zwar kann sinnvolles, freies Arbeiten auch und gerade über Stangen helfen, die Gelenke beweglicher zu halten, sie ist im akuten Stadium aber allein aufgrund der Schmerzen sicher nicht indiziert.
- Schwerwiegende Stellungsfehler oder Sehnenschäden sprechen ebenfalls gegen jede Form von Stangenarbeit, da schon ein einfaches Auffußen auf und Abgleiten von einer Stange die stützenden Strukturen der Gliedmaßen stark beansprucht und bei bereits vorhandenen Schwächen dem Ganzen den Rest geben kann.

Sehen wir uns drei Möglichkeiten an, Stangenarbeit im Rahmen der Freiheitsdressur sinnvoll einzusetzen, und überlegen, was wie bei welchem Pferd zu beachten ist.

Schlafmützenschulung

Beim Überschreiten von Bodenunebenheiten im weitesten Sinne wird die Aufmerksamkeit Ihres Pferdes geschult. Eben schlurfte es noch durch die Bahn, dann stieß es mit der Hufspitze leicht an eine Stange und schon richtet es seinen Blick auf den Boden: Da war doch eben was? Da könnte doch direkt noch was kommen! Und tatsächlich, ein paar Schritte weiter liegt wieder eine Stange quer, eine ganz bunte, die erst beäugt, dann beschnuppert und schließlich sorgfältig überschritten werden muss. Ein paar Meter weiter die dritte und mit nur wenig Zwischenraum eine vierte Stange, und schon ist Ihr Vierbeiner (hoffentlich) hellwach und interessiert.

Im Rahmen dieser Schulung der Aufmerksamkeit werden die verwendeten Stangen nicht in regelmäßigen Abständen angeordnet und auch nicht so gelegt, dass es der Schrittlänge des zu korrigierenden Pferdes entspricht. Vielmehr werden erst eine, später mehr Stangen in unregelmäßigen Abständen auf der Zirkellinie verteilt und das Pferd im Schritt darüber gearbeitet. Können Sie sich seiner Aufmerksamkeit gewiss sein, kann der Vierbeiner auch mal unmittelbar vor oder beim Überschreiten einer Stange angehalten, ein paar Schritte rückwärts gerichtet oder nach kurzem Innehalten wieder angetrieben werden. Außer Stangen eignen sich andere, ungefährliche Hindernisse wie schwere Planen, Autoreifen oder niedrige Reisigbürsten.

„Richtige" Stangenarbeit

Unter der Stangenarbeit im engeren Sinne versteht man meist das Longieren oder Reiten über Stangen vorwiegend oder ausschließlich im Trab. Je nachdem, wie er die Hindernisse dabei auslegt, kann der Ausbilder gezielt verschiedene Effekte ausnutzen.

Erinnern Sie sich zurück an Ihre Inventur: Ihnen ist sicher aufgefallen, dass Ihr Pferd in jeder Gangart seine Beine auf ganz individuelle Art gebraucht und die Hufe immer in einem bestimmten Abstand voneinander auffußen. Ohne Beeinflussung Ihrerseits ist die bevorzugte Schritt-länge in jeder Gangart ein typisches Merkmal Ihres Pferdes. Legen Sie Ihrem Pferd Bodenhindernisse wie etwa Stangen in den Weg, müssen Sie diese Schrittlänge berücksichtigen, damit Ihr Pferd stets zwischen die Stangen und nicht etwa darauf tritt. Oft werden in der Literatur bestimmte Abstände für jede Gangart vorgegeben, doch stimmen diese natürlich in den seltensten Fällen mit der natürlichen Schrittlänge des individuellen Pferdes überein.

Bei der Stangenarbeit im engeren Sinne stehen Ihnen drei Vorgehensmöglichkeiten zur Verfügung:

während er sich über der niedrigen Stange eher streckt.

1. Sie legen die Stangen entsprechend der natürlichen Schrittlänge aus,

2. Sie vergrößern die Abstände oder

3. verkleinern Sie und legen die Stangen dabei gleichzeitig höher. Sehen wir uns diese drei Varianten genauer an.

Trabstangen in Abständen, die der natürlichen Schrittlänge Ihres Pferdes entsprechen, können beim Longieren ebenso wie im Rahmen der Freiheitsdressur eingesetzt werden. Diese Form von Stangenarbeit schult die **Aufmerksamkeit**, unterstützt die **Dehnung** nach vorwärts-abwärts und veranlasst die Pferde, energischer abzufußen. Die Pferde werden lockerer und beginnen, mit untergeschobener Hinterhand deutlich im Rücken zu schwingen. Gerade weil die Abstände der Stangen so gewählt wurden, dass die natürliche Schrittlänge des Pferdes beibehalten wird, kommt es nicht zu unerwünschten Verspannungen oder Taktfehlern, wie sie bei einer Überlastung automatisch auftreten. Trabstangenarbeit in dieser Form eignet sich prinzipiell für fast alle Pferde, ausgenommen den bereits oben erwähnten Einschränkungen.

Beginnen Sie zunächst mit einer Stange, die Sie quer zur Laufrichtung auf den Hufschlag auslegen. Erst wenn diese ruhig und ohne Anstoßen auf beiden Händen überschritten wird, legen Sie nach und nach bis zu fünf oder sechs Stangen hinzu, wobei Sie stets dieselben Abstände einhalten und darauf achten, sie sternförmig auszulegen. Sie können auch vier Stangen an den Zirkelpunkten auslegen, um Ihr Pferd langsam an diese neue Anforderung zu gewöhnen. Beenden Sie die Übung, nachdem Ihr Pferd zufriedenstellend ein paar Mal die Trabstangen überwunden hat, und lassen es noch ein wenig entspannt ohne Stangen im Schritt gehen. Denken Sie daran, dass diese Übung hinsichtlich Kondition und Konzentration bereits recht anspruchsvoll ist und deshalb abgeschlossen werden muss, bevor Ihr Pferd Anzeichen von geistiger oder körperlicher Ermüdung zeigt.

Eine zweite Variante der Trabstangenarbeit besteht darin, dass Sie den Abstand zwischen allen Stangen leicht vergrößern, um so **Dehnung** und **Raumgriff** Ihres Pferdes zu unterstützen. Dabei dürfen die Stangen auf keinen Fall zusätzlich hoch gelegt werden, denn das würde auch den ganggewaltigsten Vierbeiner überfordern. Auch diese Übung wird nach wenigen Runden auf beiden Händen beendet und nur mit dem sehr gehorsamen und gut konditionierten Pferd gewagt.

Durch eine weitere Abänderung des Grundprinzips können Sie die Versammlungsfähigkeit Ihres Pferdes sowie seine Aktion verbessern. Indem Sie die Abstände der Stangen leicht verkürzen und gleichzeitig erst eine, dann mehrere Stangen etwas erhöht legen, wird Ihr Pferd veranlasst, kürzere und erhabenere Schritte zu machen - es wird näherungsweise versammelt. Diese Übung ist recht anstrengend und sollte erst dann begonnen werden, wenn das Pferd bereits über eine gute Kondition verfügt und mit der Stangenarbeit vertraut ist. Natürlich wird der Vierbeiner auch zuvor gut aufgewärmt und die Übung nach wenigen Runden auf beiden Händen beendet, da sie sonst nicht den erwünschten Effekt hat, sondern das Pferd im Rücken verspannt und ihm den Schwung nimmt. Achten Sie darauf, die jeweils erste Stange tief zu legen und die anderen nur um jeweils etwa eine Stangenbreite zu erhöhen - das reicht völlig! Bitte legen Sie die Trabstangen nicht auf Rundstangen, um sie zu erhöhen, da sie sonst bei einem leichten Anticken mit dem Huf unkontrolliert davon rollen und das Pferd sich mit den Beinen verhaspelt und verletzen könnte. Benutzen Sie besser Cavaletti, die Sie ganz tief einstellen, oder Vierkanthölzer mit Vertiefungen.

Trailarbeit
Wie bereits erwähnt, können Sie außer ganz gewöhnlichen Stangen weitere Hindernisse in Ihre Arbeit einbauen. Machen Sie Ihr Pferd in der Freiheit des Round Pen mit allem vertraut, was Ihnen wichtig erscheint: Plastiktüten, Luftballons, Kulturplanen, Reifen, Ausrüstungsgegenstände oder anderes Material können Sie auslegen und Ihrem Pferd zunächst gestatten, sich die Sache in Ruhe zu betrachten. Es wird nicht immer möglich oder sinnvoll sein, Ihr Pferd

*Angsthase „Jeremy"
schließt ohne Druck
Bekanntschaft mit
einem Luftballon.*

über diese „Hindernisse" zu arbeiten, aber das ist auch nicht notwendig. Legen Sie potenziell Angst erregende Gegenstände zunächst in die Zirkelmitte und rücken Sie sie allmählich näher an den Hufschlag heran, während Sie wie gewohnt mit dem Pferd arbeiten. Binden Sie Luftballons oder Plastikfetzen bei windigem Wetter an einen Sprungständer oder legen Sie flatternde Regenmäntel darüber. Mit ein wenig Geduld wird Ihr Pferd sich so ohne großen Aufwand an diese und andere Dinge gewöhnen und sich später im Gelände durch hohe Scheufestigkeit auszeichnen. Bitte unterlassen Sie es, Ihr Pferd mit lauten, flatternden oder anderswie furchteinflößenden Gegenständen behängt zu arbeiten, auch wenn einige Trainer dies tun. Diese und andere Formen des Auslappens sind zwar effektiv, da das Pferd sich durch die Reizüberflutung schnell resigniert mit seinem Zustand abfindet, es trägt allerdings nicht gerade zur Vertrauensbildung bei, wenn Sie als Herdenboss Ihr Pferd in eine solch subjektiv gefährliche Lage bringen. Denken Sie daran: Sie übernehmen die Verantwortung für sein Wohlergehen, übernehmen mit der Rolle des Chefs eben nicht nur die Rechte, sondern auch die Pflichten ...

IX

Freiheitsdressur für Fortgeschrittene

Mit der Arbeit auf dem Zirkel haben Sie und Ihr Pferd eine solide Grundlage geschaffen, auf der Sie aufbauen können. Es stehen Ihnen nun ganz verschiedene Möglichkeiten offen, entweder im Rahmen der Freiheitsdressur weitere Übungselemente zu erarbeiten und in Ihren Trainingsalltag einzubeziehen oder aber von hier aus auf neuen Wegen zu neuen Zielen zu gelangen. Die harmonische Verständigung ohne Hilfsmittel dient dabei als Grundlage für andere Formen der Arbeit mit dem Pferd, die ebenfalls ohne oder mit reduzierter Ausrüstung auskommen. Die folgenden, aber auch andere Ideen können Ihnen dabei als Anregung dienen.

Noch mehr Abwechslung

Sitzt die Grundlagenarbeit auf dem Hufschlag, können weitere Übungen auf einem höheren Niveau Ihr gemeinsames Repertoire erweitern. Als erste Übung bietet sich das Rückwärtsrichten an, das Ihnen vor allem bei der Arbeit mit aufmüpfigen Pferden sehr gelegen kommt. Beim Rückwärtsrichten werden die Pferde stärker auf die Hinterhand gesetzt, die Vorhand wird frei und richtet sich auf. Es handelt sich also um eine im weitesten Sinne versammelnde Übung, die sich vor allem bei sehr auseinander gefallenen Pferden mit schlechtem Körpergefühl und geringer Grundspannung anbietet. Allerdings kann das Rückwärtsrichten auch der Korrektur von Pferden dienen, die den eigenen Rang verbessern wollen und sich dabei Ihnen gegenüber provokant verhalten.

Um Ihr Pferd rückwärts zu richten, müssen Sie, von vorne kommend, den eigenen treibenden Einfluss verstärken. Dazu genügt es meist, nach dem Anhalten des Vierbeiners entschlossen auf diesen zuzugehen und ihn durch eine kurze Gerte auf Abstand zu halten. Mit der Gerte oder der Longierpeitsche können Sie entweder etwa auf Augenhöhe des Pferdes leicht wedeln oder ihn mit dem Knauf rhythmisch

Gegen die Vorderbrust tupfend, richtet Bianca „Fidelio" rückwärts und weist ihn so an seinen Platz.

gegen die Vorderbrust tupfen, um so Ihren Wunsch zu verdeutlichen. Er lautet schlicht: „Geh weg!" und wird mit Entschlossenheit durchgesetzt. Begleiten Sie Ihre Signale durch ein Stimmkommando, etwa „Zuuurück!" oder eben „Geh weg!". Üben Sie das Rückwärtsrichten zunächst entlang der Bande, wo Sie Ihr Pferd problemlos auf dem Hufschlag halten können, indem Sie seinen Rumpf zur offenen Seite durch Ihre lange Longierpeitsche begrenzen, und gehen Sie später dazu über, auch im freien Raum des Zirkelinneren zu arbeiten. Später wird es

Ihnen gelingen, Ihr Pferd allein durch entschlossenes Zugehen zum Rückwärtsrichten zu bewegen.

Zunächst ist es uns recht egal, wie unser Pferd eine **Wendung** durchführt - Hauptsache, es dreht um und reagiert damit auf unsere Signale. Später legen wir vielleicht Wert darauf, es ordentlich durch den Zirkel wechseln zu lassen. Diese Übung lässt sich aus dem Appell entwickeln, einer nicht ganz unumstrittenen Übung. Üblicherweise legen wir ja großen Wert darauf, unser Pferd auf Abstand zu halten, und sehen jede Näherung sei-

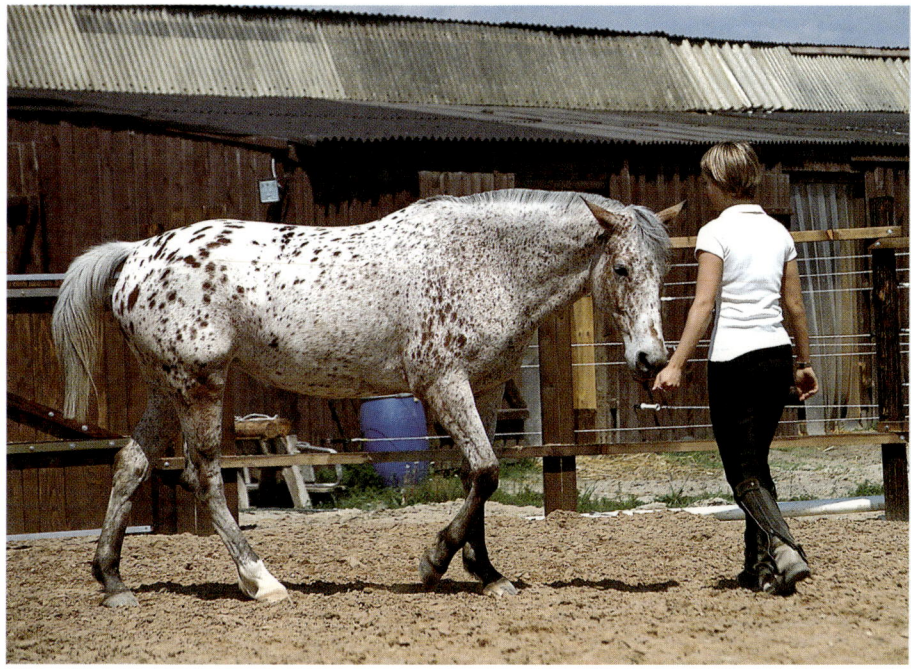

nerseits (zu Recht) als Angriff auf unseren Rang an. Beim Appell rufen wir unser Pferd zu uns in die Zirkelmitte und da es in diesem Fall unserer Einladung folgt und nicht aus eigenem Antrieb handelt, geht die Sache in Ordnung. Wollen Sie diese Übung in Ihr Repertoire aufnehmen, müssen Sie darauf bestehen, dass Ihr Vierbeiner nie ungebeten in die Zirkelmitte kommt, sondern immer nur als Resultat Ihrer Einladung.

Einfache Kunststücke fördern die Geschmeidigkeit Ihres Pferdes, müssen aber sorgsam geübt werden.

Sie können zur Erarbeitung des Appells Ihr Pferd mit Longe und Kappzaum ausrüsten und es dann mit dem Befehl „Komm herein!", am besten aus dem Halten, zupfend zu sich locken. In der Mitte wird angehalten, gelobt und das Pferd dann wieder herausgetrieben. Mit viel Geduld gelingt diese Übung aber auch ohne Longe, indem Sie Ihr Pferd auf dem Hufschlag halten lassen, anhaltend locken, sich dabei sehr zurückhaltend gebärden und es solange weder vorwärts noch zurück laufen lassen bis es versteht, dass der einzige ihm noch offen stehende Weg der zu Ihnen in die Mitte ist. Unterstreichen Sie den freundlichen Charakter Ihrer Einladung durch eine liebevolle Stimme und eine eher geduckte, abgewendete Körperhal-

tung. Sitzt dies, können Sie den Appell aus dem Schritt und schließlich dem Trab abrufen. Anschließend gehen Sie dazu über, die Pausen in der Mitte zu streichen und Ihr Pferd an sich vorbei auf die andere Hand wieder herauszutreiben - ein schöner, flüssiger Handwechsel entsteht.

Als weitere Arbeitsinhalte bieten sich vor allem Verknüpfungen des bisher Gelernten zu anspruchsvolleren Übungen an, die Arbeit mit zwei Pferden gleichzeitig oder das Training über Cavaletti. Die Cavalettiarbeit eignet sich nur für Pferde, die gut im Gehorsam stehen und sich bereits über Stangen problemlos arbeiten lassen. Achten Sie darauf, aus dieser Form von Übungen keine Trainingsmarathons zu machen, da die Belastung für die Pfer-

debeine nicht unerheblich ist. Sehen Sie davon ab, Ihr Pferd im Round Pen frei springen zu lassen, und nutzen Sie dafür lieber eine Halle mit ausreichend Platz auf der Geraden.

Gerne wird die Freiheitsdressur als Einstieg in die Zirzensik genutzt. Ob Sie mit zwei oder mehr Pferden arbeiten möchten, Levade oder Plié erarbeiten, Ihr Pferd hinlegen oder knien lassen möchten, beachten Sie bitte: Derlei Übungen sind ein Fall für sehr fortgeschrittene Ausbilder und weit geförderte Pferde und bei falscher Handhabung mit nicht unerheblichen Gefahren verbunden. Anders als bei der eigentlichen Freiheitsdressur kommt während der Übungsphase eine Vielzahl von Ausrüstungsgegenständen zum Einsatz, mit denen Sie versiert agieren müssen. Falls Sie sich für Zirzensik interessieren, sollten Sie sich von einem erfahrenen Trainer ausbilden lassen und keinesfalls mit einem Buch in der Hand herumprobieren!

Frei führen

Als ein „Abfallprodukt" guter Freiheitsdressur fällt Ihnen das freie Führen Ihres Pferdes wie ein reifer Apfel in den Schoß: Haben Sie es verstanden, im Rahmen der Grundlagenarbeit Ihren eigenen, höheren Rang überzeugend rüberzubringen und sich gleichzeitig aber als freundliche Vertrauensperson zu etablieren, so wird sich Ihr Pferd ganz selbstverständlich Ihnen anschließen. Oft stellt der Neu-

Die Freiheitsdressur legt wichtige Grundlagen, auf denen Sie Ihre weitere Ausbildung aufbauen können.

ling erstaunt fest, dass sein eigenes oder auch ein fremdes Pferd ihm nach dem obligatorischen Lob am Ende einer Trainingseinheit unaufgefordert wie von Zauberhand geführt folgt. Es hält sich dabei leicht hinter dem Menschen oder höchstens mit dem Kopf auf Höhe der menschlichen Schulter, macht jede Wendung, jeden Halt und jedes erneute Antreten in aller Ruhe und Gelassenheit mit - eben genau so, wie es in freier Wildbahn seiner Leitstute folgen würde! Auf dieser sich fast selbstverständlich einstellenden Reaktion Ihres Pferdes auf sachgerechte Freiheitsdressur aufbauend können Sie aus dem freien Führen eine eigene Arbeitsform entwickeln, die allerdings auf sicher eingezäunte Plätze beschränkt werden muss. Einfaches Führen im Schritt und Trab auf beiden Händen, mit verschiedenen Hufschlagfiguren, über Stangen, Cavaletti und kleine

Sprünge, in Schlangenlinien zwischen Pylonen hindurch, über Reifen und Planen, Wippen und Brücken, kurz - Ihrer Phantasie sind nur insoweit Grenzen gesetzt, als Sie etwaige Verletzungsgefahren und Überforderungen bedenken sollten. Probieren Sie es aus, es macht Reiter und Pferd viel Spaß und bindet beide inniger aneinander!

Longe und Doppellonge

Nicht zuletzt kann Ihnen besonders die Freiheitsdressur im Rahmen der Jungpferdearbeit als Einstieg in das Anlongieren, die Doppellongenarbeit und die Gewöhnung an Sattel und Trense dienen. Einmal mit der Arbeit auf dem Zirkel vertraut, mit Ihrer Stimme und den wichtigsten Befehlen bekannt gemacht und vor allem voller Vertrauen Ihnen gegenüber ersparen Sie Ihrem

vierbeinigen Nachwuchs auf diese Weise unnötigen Stress. Später können Sie immer wieder zur Freiheitsdressur zurückkehren, um auf jeder Ausbildungsstufe die Qualität Ihrer Arbeit zu überprüfen, Ihr Pferd zu entspannen und seinen Laufwillen zu erhalten.

Die Freiheitsdressur ist mehr als eine schicke Ausbildungsmethode, die eben gerade im Trend liegt und in kurzer Zeit von der neuesten Mode in Sachen Pferdetraining abgelöst werden wird: Sie hilft Reiter und Pferd, sich auf die Wurzeln der gemeinsamen Arbeit zu besinnen, sich mehr auf das eigene Auge, die persönlichen Erfahrungen, die individuelle Intuition zu verlassen als auf Hilfszügel und immer neue Gebisse. Sie ist allerdings auch keine Light-Version sachgerechter Ausbildung, kein Ersatz für gutes Reiten. Sie legt eine solide Grundlage für alle Formen gemeinsamer Arbeit, völlig unabhängig von Rasse oder Reitweise. Sie bindet nicht nur Reiter und Pferd enger aneinander, sondern weckt in Pferdemenschen jeder Couleur ein tieferes Verständnis für das Pferd, dieses uns so nahe, vertraute und doch immer ein wenig fremde Wesen. Und wenn zwei so unterschiedliche Lebewesen lernen, sich gut zu verstehen und einander zu vertrauen, ist das doch eine gute Sache, oder?

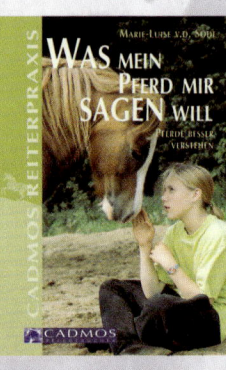